信州の群像

―日本の近代化と現代をひとつの地方から見る―

渚　銀笛

東京図書出版

まえがき

明治維新から日本の近代化は始まりました。欧米列強がアフリカ、アジアを次々と植民地化し、隣国の中国もそれに侵食されていました。日本にとって近代化は喫緊の課題、課題というより果たさなければならない必須事項でした。近代化をリードしたのは西国の雄藩である薩摩、長州、土佐、肥前（薩長土肥）であり、舞台は首都東京がメインでした。日本の近代化についての考察や分析、回顧は書籍、雑誌、そしてテレビでたくさん発表されています。

もちろん、日本の近代化を推進したのは薩長土肥だけではないし、舞台は東京だけではありません。私はそれ以外の地方が日本の近代化に果たした役割をみてみたいと思いました。そのひとつの地方を信州に選びました。現在の長野県です。旧国名が信濃国であったため、信州と呼ばれます。現在でも愛着を持って呼ばれています。選んだ理由は私の出身地であるからです。資料を集めやすいことと、地元への愛着からです。

探索の仕方は、日本の近代化に向けて活躍した人物、著名であってもなくても、彼らの行動を追うことにしました。それによって、日本の近代化、そして現在の様相を炙り出せればと考えました。先ずは音楽の世界から始めます。次に美術を。

現在、今まで指針となってきた近代の理念や思考形態が機能不全となり、次の羅針盤が必要な時代に入っているかもしれません。機能不全に陥っているとするならば、近代化とは何であったかを探ることは、現在を考え、未来に向けて動くヒントも出てくるかもしれません。様々な人物に登場してもらい、時空の旅を楽しみながら、この論考の目的が達成できればと願います。

また、ひとつの地方からみた日本の近代及びその延長の現代の音楽、美術の単独史としてみて頂いても嬉しいです。

信州の群像

―日本の近代化と現代をひとつの地方から見る―

1 音楽の世界

1 「故郷」と高野辰之

「兎追いしかの山　小鮒釣りしかの川　夢は今もめぐりて……」
「如何にいます父母　恙なしや友がき……」

「故郷」の歌詞である。この歌を口ずさみ、故郷を想って涙腺を緩めた人は多いだろう。平成23年（2011年）の東日本大震災の後、復興を願う人々の集会で一番歌われたのはこの歌だった。日本の歌百選など日本の名歌を選ぶときは必ずこの歌は選出される。日本人の心の歌の代表といってよい。

作詞者は**高野辰之**。明治9年（1876年）、中野市永江の農家に三男三女の長男として生まれた。明治期、海のない山村にとって兎や小鮒は貴重な動物性タンパク源であった。高野も子供のころ、兎を追い、小鮒を釣ったに違いない。小動物や魚を獲ったり、山菜、きのこを見付けることは心が躍り、無邪気になれる遊びである。

高等小学校時代は、遠距離通学のため豪雪で道が閉ざされる冬季間は飯山の真宗寺を寄宿舎とした。この寺は、文豪島崎藤村の小説『破戒』に登場する蓮華寺のモデルとなった寺である。

上京し、東京帝国大学（現在の東京大学）の上田万年のもとで国語を研究、邦楽や演劇史を専門とする国文学者の道を歩む。長野師範学校、東京音楽学校、東京帝国大学で教鞭をとった。それぞれ現在の信州大学、東京芸術大学である。東大で受け持った演劇史の講義は俳優の声色を真似たり、受講生に俳優の好みを尋ねるなど対話形式で学生に大人気であった。教室に学生が入りきらず、医学部の講堂を使用したという。昭和天皇に日本歌謡史をご進講したときも昭和天皇はカラカラとお笑いになった場面があったようである。性格は豪放磊落で親分肌。酒豪でもあり、家には来客が絶えなかったという（※1）。

文部省の小学校唱歌教科書編纂委員を委嘱されてから、岡野貞一とのコンビで「紅葉（もみじ）」、「春が来た」、「故郷」、「朧月夜（おぼろづきよ）」と情景豊かな名曲を次々と作っていく。唱歌とは教科の名称で現在の「音楽」である。「春が来た」は文部省が最初に編纂した唱歌集『尋常小学読本唱歌』に収録された。これ以降の文部省が編纂した教科書に掲載された歌を文部省唱歌と呼んでいる。

高野は22歳のとき、高等小学校のときに寄宿舎としていた真宗寺の娘と結婚した。娘の母から「将来、この寺の山門を人力車に乗って入ってくるほど出世すると約束するなら」と条件を付けられたようである。(※2)

50歳を前にして「日本歌謡史」で博士号を取得。〝出世〟した、のである。「末は博士か大臣か」といわれた明治時代である。約束どおり人力車に乗って帰郷したとき、家の門の前には多くの人々が迎えたという。高野の人望が窺える。「志をはたして　いつの日にかかえらん」。三番の歌詞である。「故郷」を作詞した11年後のこと。まさに歌詞を地でいった。

晩年、生まれた場所に近い野沢温泉に別荘を建て、やがて東京から住居を移す。故郷に帰った。高野の心にはいつも故郷の風景がめぐっていたのであろう。

高野とコンビを組んだ作曲家である岡野貞一は鳥取県の出身である。貧しい農家に生まれた。信州と鳥取県は似ている。ともに重なる山を越え、谷に沿って信州人は首都東京に出、鳥取県人は商都大阪へ向かう。この大都市との距離感がである。

明治期、いや昭和まで出世するとは大都市に出て高い地位を得ること、高額所得者になることを意味した。大方が「出世すること」を夢見た。それを叶えるには大都市に行かなくてはならない。人とビルがひしめく都会で自然豊かな故郷を想う。この世に生を与えて育ててくれた父母、野山で無邪気に遊んだ友達がいる。楽しく、懐かしい子供時代の思い出がある。夢を追いながらも故郷を想う。そこは誰もが自分の人生から断ち切ることのできない場所である。「故郷」が好かれる理由であろう。

□関連ミュージアム　高野辰之：高野辰之記念館（中野市）、おぼろ月夜の館（野沢温泉村）。

２ 日本の歌百選と草川信、海沼実

日本の歌百選が平成18年にまとめられた。文化庁と日本ＰＴＡ全国協議会が親子で長く歌い継いでほしい童謡、唱歌、歌謡曲１０１曲を選定した。これらのうち、「故郷」を含めて長野県生まれの作詞家または作曲家によるものが19曲ある。次に並べた。都道府県は47である。ひとつの曲で作曲家、作詞家がそれぞれ携わったとして各都道府県ゆかりの曲は延べ２０２。それを47で割ると各都道府県の平均は４・３曲となる。実際は作詞作曲が同一者である場合、外国民謡からメロディーをとった曲もあるので、平均はそれよりも低い。そう考えると非常に多い。

高野辰之作詞「朧月夜」「春が来た」「春の小川」「故郷」「紅葉」、5曲
中山晋平作曲「あの町この町」「あめふり」「雨降りお月さん」「肩たたき」「シャボン玉」「背くらべ」、6曲
草川信作曲「風」「汽車ポッポ」「どこかで春が」「夕焼け小焼け」「揺籃のうた」、5曲
ほか　海沼実作曲「里の秋」「みかんの花咲く丘」、島崎藤村作詞「椰子の実」3曲

名歌が作られる土壌が信州にあったのであろうか。高野辰之に続いて作曲家の草川信と海沼実を取り上げる。

草川信は明治26年（1893年）に四人兄弟の末っ子として長野市の善光寺の近くで生まれた。家は旧松代藩士で父は銀行員をしていた。田舎では裕福な家の生まれである。松代は今は長野市に含まれ、その南東に位置する城下町である。真田幸村の兄、信之が初代藩主となってから代々真田家が治めた藩である。石高は信濃国では最大の十万石。十万石で最大なのであるから、信濃国は山間の盆地に小藩が分立していたことが分かる。

草川は幼少の頃、腕白坊主であった。ドジョウを獲ろうとして田の畦に穴を開け、大量

の水を流して田の持ち主からひどく怒られた。おつかいでお酒を買ってきた少年の酒瓶を割って泣かせた。などなどである。これは、彼が自身のことを書いた「生い立ちの記」に記されている。また、次のように綴っている。

幼少から少年のころが「人生の最も華やかな、最も楽しい純粋な宝玉の様な光沢を放っていた。……幼少年の純粋無垢の時代の思い出に比肩し得る何物もない事を、吐露する[※3]」。子供のころの経験は掛け替えのないものであったようだ。

大人になってからも「子どもがそのまま大きくなったような無邪気さと破天荒さを備えていた[※4]」と、草川の次男である音楽家の誠は述懐する。

子供のころから大好きであった野球では早慶戦の応援で大声を張り上げ、ときには選手を自宅に招いて食事を振る舞った。落語が好きでその口上を真似て周りを笑わせた。誠はこうも述べた。「父は、明るく、精力的で、表裏がなかった[※5]」と。

一方で草川は小学校時代、日曜礼拝に通って賛美歌を歌い、水彩画家の丸山晩霞に師事して水彩画に凝った。どこへ行くにも五線紙とスケッチブックは手放さなかったようである。同じ小学校には画家になる河野通勢がいた。小学校には後に武蔵野音楽学校（現武蔵野音楽大学）を創設する福井直秋が音楽を教えていた。草川は福井の洋風音楽を耳にし、早くその授業を受けたいと熱望していた。東京音楽学校に進み、ヴァイオリンを専攻。草川の兄弟のうち長男、三男も東京音楽学校に学んだ。

大正期、難解な歌詞の多い唱歌の批判として子供たちが理解でき、子供たちの夢を育む歌をつくろうと鈴木三重吉の呼び掛けで童謡運動が起こった。『赤い鳥』や『金の星』などの児童雑誌が相次いで創刊され、新作童謡が掲載された。草川は『赤い鳥』に作曲者として参加した。大正から昭和初期にかけてレコードが普及した。音楽家はレコード会社の専属となって活動する時代となった。草川はポリドールの専属となった。童謡は人々に広く受け入れられ、黄金時代を築く。草川は「どこかで春が」、「みどりのそよ風」など、透明感のある、不思議な美しさを湛えるメロディーを作る作曲家として活躍する。その独特の美しさは、賛美歌の合唱、ヴァイオリン学習の経験を裏付けに、子供のような無邪気さを持つ彼の人間性にある、と評されている。

明治、大正期の作曲家にはクリスチャンやキリスト教に関わった人物が多い。「故郷」作曲の岡野貞一、天才作曲家である滝廉太郎、山田耕筰。日本音楽が西洋音楽を受容するに当たって讃美歌がその入口のひとつとなっていたためと考えられている。

「揺籃（ゆりかご）のうた」は生まれたばかりの赤ちゃんが一番最初に聞く定番である。

「夕焼け小焼け」は夕刻を告げる時報に一番使われている。歌碑は全国にあり、その数は他の曲と比べて群を抜いている。この歌のゆかりの地であると主張する場所がたくさんあるということである。松代にも建つ。「少年の日を過ごした故郷にでも立ち帰ったような気持ちで曲を書くことがありますが、この曲は正にそれです」。草川はそう語った。(※6)

大正から昭和初期に全盛を極めた童謡運動も戦機の高まりとともに勢いを急速に失った。**海沼実**は童謡が冬の時代を迎えたときにその世界に入った。児童合唱団「音羽ゆりかご会」を創設して川田正子、秋田喜美子などの児童の童謡歌手を育て、また作詞家を発掘した。海沼の音楽生活から必要として生まれたもので音楽プロデューサーにならざるを得なかった。

良質の童謡を作ることを生涯の糧としていた海沼は、太平洋戦争中は同郷の山上武夫とのコンビで「欲しがりません勝つまでは」という政府ご用達の歌を作ったが、嫌で仕方なかったようである。長い戦争が終わり、外地から復員兵がぞくぞくと帰ってきた。ＮＨＫはその復員兵を労う番組を企画し、歌作りを海沼に依頼した。海沼は、彼宛に送られて来て最初は無視した斎藤信夫が書いた詩を思い浮かべた。詩は田舎の風景であった。海沼は故郷松代を連想した。故郷の香りがある。作った歌は「里の秋」だった。番組で川田正子が歌った。ＮＨＫには電話、電報、郵便の嵐が舞った。長期間の戦争とその結果の敗戦。日本国民の心は乾いており、それに染み入るように入り込んだ。「みかんの花咲く丘」、「夢のお馬車」などを発表し、国民的な大ヒットを記録した。戦後の荒廃期に日本人に癒やしと希望の歌を贈り、戦後の童謡黄金期を作りあげた「最後の童謡作曲家」と呼ばれる。

海沼は明治42年（１９０９年）に松代の和菓子屋の長男として生まれた。家業を継ぐことを当然視されていたものの、音楽が大好きで商売には身が入らなかった。古道具屋で買ったヴァイオリンを持ち歩き、仕事を終えると家の裏にある沼に出て夜中まで練習した。独学である。草川信に憧れ、彼を目標とした。

23歳のとき、妻子を残してヴァイオリンひとつを持って家出。東京の友人の下宿に転がり込む。生活の糧がなく、毎日の食費にすら事欠くありさまであった。そのとき、護国寺が子供会で歌を教える先生を探していた。渡りに船。薄給であったが露命をつなぐことができた。この子供会が「音羽ゆりかご会」に発展する。ゆりかごは、草川が作曲した「揺籃のうた」からとったものである。そのくらい草川を尊敬していた。合唱団は演奏会も行った。海沼はここから童謡を歌うのに適した声を見付けていった。ちびっ子童謡歌手の誕生である。

資産家の伯父の援助で東洋音楽学校（現東京音楽大学）に入学した。このころ、妻子を東京に呼び寄せていた。休日は合唱団の指導の掛け持ち。合唱団に入ることは当時、子供たちの習い事の定番であった。夜は作曲の練習。昼間はレコード会社へその作曲した歌を売り込みに営業回り。営業は松代のころに家業での経験があり、粘り強かったようである。門前払い続きのなかで、根負けしてレコード化されたものもあったようである。それらのため、授業にはあまり出席しなかったようだ。好きなヴァイオリンの腕も独学の癖が抜け切らず、上達しなかった。

海沼は「音羽ゆりかご会」に多くの歌を作曲していたが、詩を提供してくれる著名な作家もいなかった。自ら作詞も行った。「からすの赤ちゃん」のようにヒットしたものもあったが、見るべきものは少なかった。そこで童謡詩を書く作家を探した。先に挙げた山上、斎藤、「あの子はたあれ」を作詞した細川雄太郎ら数多くの作詞家を見出した。

音楽教育をまともに受けられなかった海沼が大作曲家となれたのは何であろう。作曲、編曲に懸ける半端でない情熱はもちろんであるが、子供たちを愛し、日本の故郷の原風景を思う気持ちではなかったか。

3 唱歌、童謡らの作家群

山上武夫は海沼と同じ松代に大正6年（1917年）に生まれた。家は骨董屋であった。同郷の先輩である草川信、海沼実に啓発されて詩作を志して上京する。童謡雑誌『ゆずの木』を創刊。山上は草川宅で海沼と出会い、その後は「海沼先生と寄り添う形の歩みを続けた。喜びも悲しみも同一の部分が大きい(※7)」とその師弟関係を語っている。

東京で作詞に唸っているとき、故郷の方の空を見ながら、松代にあるあの山の猿はどうしているのかなと考えた。そのとき、インスピレーションが湧き、「お猿のかごや」が作詞された。作曲はもちろん海沼実。これが彼の初のヒット曲であった。海沼とのコンビでは「見てござる」もある。昭和20年にNHKから戦後の子供の心を明るくするような新しい童謡の創作依頼として受けた曲である。

松代生まれには、明治41年（1908年）に生まれた**坂口淳**がいる。「子鹿のバンビ」の作詞者である。

伝田治朗は高野辰之と同じ中野市に明治19年に生まれた。先に触れた福井直秋の作曲の「暁星」、「帰省の旅」、「かなりや」を作詞した。

中野市、松代を縁として広がる長野盆地、呼称善光寺平は南東から千曲川、南西から犀川が流れ入り合流する。千曲川の色は茶色であるが、犀川は澄んでいる。犀川で削られた渓谷を遡っていくと北アルプスを望む安曇野、呼称松本平に出る。松本盆地である。

松本盆地の北部に位置する池田町に生まれたのは**浅原六朗**（明治28年生まれ）である。「新興芸術派」の代表的小説家であった浅原は、浅原鏡村の名で「てるてる坊主」を作詞した。

同じ池田町生まれにはドイツ文学者の**藤森秀夫**（明治27年生まれ）がいる。ハイネ、ゲーテの詩集を発行し、詩人として活躍した。童謡詩の方が秀作は多かったようである。「めえめえこやぎ」の作詞者である。

長野県歌である「信濃の国」は当初は唱歌として発表された。作詞は松本市生まれの**浅井洌**。明治前の嘉永2年（1849年）に生まれている。長野師範学校の教師を長く務めた。作曲は北村季晴。教員の北村は後に触れる日本近代音楽を作った伊沢、神津が長野県出身であることから、長野県へ行くことを憧れ、希望が叶って赴任した。

県歌が県民に知れ渡っているのは稀有である。長野オリンピックの開会式では日本選手団の入場のときに自然とこの県歌が大合唱され、その存在が世界に知れた。

唱歌ではないが、「われは湖の子……」で始まる滋賀県民に馴染みの深い、「琵琶湖周航の歌」を作詞したのは、松本盆地と峠を挟んだ諏訪湖を望む岡谷市生まれの**小口太郎**（明治30年生まれ）である。三高（現在の京都大学教養課程）のとき、ボート部に入り、琵琶湖を周遊したときに故郷の諏訪湖を思いながら作詞した。東京帝国大学時代に電信電話に関する発明で日本ほか欧州などの外国に特許を申請し、許可を受けた。だが、科学者として大成する前に26歳の若さで亡くなっている。

犀川が長野盆地に達する手前に信州新町がある。そこに「かあさんの歌」の歌碑が建つ。東京墨田区にある建具屋の四男である**窪田聡**（昭和10年生まれ）は開成高校に通っていた。太宰治に凝り、デカダンス的な生活に憧れて文学や音楽に浸り、学校の授業をさぼって映画館に通い、夜は焼酎を飲んでストリップを見るという生活をしていた。当然、母に怒られてばかりいた。

家出をするにも元手がない。大学に合格すれば入学金や授業料のお金を手にできると急に猛勉強を始め、早稲田大学に合格する。そして、親からもらったそのお金を持って家を飛び出す。大学には一日も行かず、都内の下宿に隠れ住み、職を転々とする。合唱団の研究生になり、続いて共産党に入党する。新聞の住み込み店員をしていたとき、次兄が居場所をつきとめ、まもなく母から小包が届くようになった。食料に交じって好物のチョコレート、手編みのセーターが入っていた。窪田は「食べるのがやっとの時代に何人もの子供を育ててくれた両親を大したものだと[※8]」の思いから作ったのが「かあさんの歌」であった。それまで反骨心からかあさんと呼んだことすらなかったようだ。ペギー葉山、ダークダックスが歌い、大ヒットした。

窪田の一家は父の故郷である信州新町の叔父の家に1年間、疎開していた。叔父が土間でわら打ち仕事をし、祖母が麻糸を紡いでいた。歌詞にはその記憶を散りばめたという。窪田は歌声喫茶で歌いながら作詞作曲を続け、コンサート活動をした。岡山県牛窓、竹久夢二のゆかりの地に自宅を構えた。シンガーソングライターの奔りである。

この歌も日本の歌百選のひとつであり、信州ゆかりの歌である。

□関連ミュージアム　浅原六朗：浅原六朗文学記念館（池田町）。

4 日本近代音楽の成立と伊沢修二、神津専三郎

日本の近代音楽は西洋音楽の導入によって始まった。江戸時代末期、明治期初期の日本の音楽事情は雅楽は上流社会のものとしてあり、世間一般では小唄、民謡、わらべうたが歌われていた。西洋音楽は西洋化した軍隊の鼓笛隊の楽曲やカトリックの賛美歌で国内に

入ってはいた。**本格的な西洋音楽の受容は学校教育、学校で行われる音楽教育すなわち唱歌からである。**それに重要な役割を果たしたのが**伊沢修二**と**神津専三郎**であった。このふたりから日本の近代音楽史の扉が開き、歩みが始まる。

維新後、明治政府は富国強兵を目的に欧米化を急速に推進した。それには国民の知識水準の向上は不可欠であった。政府は明治4年に教育行政を担当する文部省を設置し、学校制度の体系化を図ると同時に教員の養成、教科書の編纂に着手した。しかし、音楽については「当分之ヲ欠ク」と手が付けられなかった。西洋音楽を教える人が不在であったのはもちろん、教材すらなかった。日本人は江戸時代の蘭学輸入でも医学などの実用的学問は積極的に学んだが、実学でない音楽には目が向けられなかった。必要でなかったであろうし、日本人が吸収すべき、したいと欲するジャンルでもなかったのであろう。

伊沢は嘉永4年（1851年）に高遠藩の士族の家に十人兄弟の長男として生まれた。後の東京大学となる大学南校に入学した。大学南校は各藩や藩校などから推薦された全国の俊英が集まったところである。伊沢はそこをトップで卒業した頭脳の持ち主であった。小諸藩の神津とは同期生だった。明治5年に文部省に出仕する。明治7年には23歳で愛知師範学校の校長になり、『教授真法』という教育概論を出版する。日本で初めての教育学のテキストといわれている。明治8年に文部省初の留学生として伊沢修二、神津専三郎、高嶺秀夫の三人がアメリカに派遣された。伊沢はマサチューセッツ州、神津と高嶺はニューヨーク州のそれぞれの師範学校で実際に学びながら教育制度を視察する。

伊沢は科学者であったので理数系は得意であったが、当然のことながら西洋音楽の楽譜が読めない。音楽の授業は免除された。伊沢は気性が荒い。逆に伊沢に闘争心を湧かせ、その申し出を断り、音楽を俄然と学ぶ気になった。偶然に知り合った音楽教育家のメーソンに毎週自宅まで通って唱歌の指導を受ける。このときに、メーソンから「元はスペイン民謡だが日本人に合いそうな歌だから、歌詞をつけてみないか」と提案された[※9]。伊沢は愛知師範学校の校長時代に唱歌の実験をしたことがあった。教員の国文学者・野村秋足にわらべうたの旋律に歌詞をつけさせた。「胡蝶」という歌であった。**その歌詞を口ずさんだ。「ちょうちょう　ちょうちょう　菜の葉にとまれ」である。メロディーに合った。「蝶々」の歌となった。日本最初の唱歌の誕生であった。**伊沢は高遠藩での子供のころ、鼓笛隊で太鼓を叩いていた経験がある。西洋音楽に触れていたことも一考してよい。

子供たちの成長に体育、音楽の遊戯が必要であると考えていた伊沢は、アメリカ留学中に音楽教育の重要性を痛感した。**国楽を興すために、機関を設けることを政府に献言する。献言が認められ、政府は音楽取調掛を設置した。明治12年（1879年）である。**音楽取調掛は後に東京音楽学校（現東京芸術大学）となる。伊沢は東京師範学校校長の傍ら、音楽取調掛長として音楽教育を実践する。**彼は次の三つを理想に掲げ、国楽を興すことに取り組んだ。①東西二洋の音楽を折衷して新曲をつくる、②将来国楽を興す人材を養成する、③諸学校に音楽を実施する、である。**伊沢の国楽とは和洋折衷の音楽である。

先ずは、神津に西洋楽譜の翻訳を委託する。次に西洋の曲に日本語の歌詞を付けることを国文学者たちに命じる。明治14年、日本最初の音楽教科書となった『小学唱歌集　初編』を編集刊行する。続いて、第二編、第三編を出し、幼稚園唱歌、中学唱歌と出していく。これらの中に「仰げば尊し」や、改題されて「蛍の光」となる「蛍」がある。前者はアメリカ歌曲、後者はスコットランド民謡が原曲である。こうして音楽教育が小中学校で実施された。西洋音階を用いた日本人の手による曲も生まれた。滝廉太郎たちの作曲家の誕生である。伊沢の三つの理想は実現する。

「仰げば尊し」は現在でも卒業式では欠かすことのできない歌であり、「蛍の光」は卒業式以外でも別れの会で歌われる。

「蝶々」は児童の誰もが口にする歌といってよい。

西洋音楽導入直後につくられたこれらの歌が、今なお歌い継がれていることは奇跡である。ほかにも、「埴生の宿」、「故郷の空」など多くの唱歌が校門を出、世間で広く愛唱されるようになった。和洋折衷の新しい音楽は確実に国民に根を下ろした。

「仰げば尊し」、「埴生の宿」、「蛍の光」はいずれも日本の歌百選に選ばれている。「明治以降の日本の音楽教育のレールは完全にこの人（伊沢）が決定し、いまにいたるまで決定的な影響を及ぼしている」と音楽評論家の吉田秀和は述べた。[※10] ドレミ……の7音階は西洋の伝統である。音楽教育で日本の音階を習わなくなった。日本の伝統音楽が忘れ去られて日本独自の国民音楽を創ることができなかった。そう批判される。確かに、現在に至っても西洋音楽の影響を抜け出た音楽は日本にはない。だが、日本は古来、外来文化を受容し、やがて血肉化した。音楽も同様であろう。

伊沢はアメリカ留学を夢見て独学で英語を勉強していた。願いが叶って留学できたもののアメリカ人には会話が通じなかった。発音が悪かった。西洋音階の学習、英語の学習と、伊沢は音感習得が苦手であったといえる。そこで電話の発明者のグラハム・ベルを訪ねて発音の矯正を頼んだ。日本に帰国した後も研究を続け、吃音矯正の先駆者となる。電話が発明されて世界で初めて通話したのはベルと伊沢といわれている。ただ、ベルの前に電話通話を成功させた人物が日本にいる。松代藩の佐久間象山である。松代のNTTの場所にその櫓が日本電信電話発祥の地として残る。

高野辰之のところで唱歌作製のコンビを組んだ岡野貞一は鳥取出身と書いた。伊沢は東京音楽学校（現在の東京芸術大学音楽学部）の初代学長であるが、二代目学長の村岡範為馳も鳥取出身である。伊沢はその業績から「日本近代音楽の父」と称えられる。村岡の影響を受けて東京音楽学校に進学した鳥取生まれの永井幸次は「関西音楽界の父」と呼ばれる。伊沢と同じように音楽教材が不足する時代に自ら教科書や楽譜を出版し、関西初の音楽学校（現大阪音楽大学）を創設した。まさに関西版の伊沢である。

神津専三郎は嘉永5年に現在の小諸市に生まれている。17歳で上京。『日本外史』を英訳した。伊沢らと共に明治8年にアメリカ留学をする。彼はニューヨーク州の教育制度を担当し、帰国。伊沢の招聘で音楽取調掛長を務める。現在音楽で使われている五線譜を始め音楽用語を翻訳、整理したのは神津である。この功績は大である。これらがなければ西洋音楽は広がらなかった。神津は伊沢の右腕、実務者として活躍する。業務は取調掛や師範学校のカリキュラム作成、教員採用、取調掛の業務である教材の出版や俗曲の改良、音楽史と英語の授業担当である。多忙を極めたと想像されるが、終始裏方として尽力した。伊沢は短気であったが、神津は性格も控えめであったらしい。伊沢が台湾に渡り、当地で音楽を始めとした教育行政に携わったとき、神津も呼ばれた。台湾に渡った翌年の明治30年にマラリアで死去する。45歳であった。

ところで、ダーウィンが『種の起源』を出版したのは1859年である。進化論の日本初の訳出は神津が明治14年（1881年）に翻訳した『人祖論』である。その2年前に伊沢もダーウィンの名前は出てこないが、『生物原始論』を訳している。教育論に進化論の考え方が入り込んでいたことは間違いないであろう。

神津の実家は島崎藤村のパトロンにもなった赤壁の家と称される佐久地方の名家である。この一族から音楽では**神津善行**（昭和7年、東京生まれ）が出ている。神津善行は中村メイコとの夫婦仲がよいことで知られているが、300曲もの映画音楽を手掛けている。

5 全国的流行歌と中山晋平

大正年間、とくに第一次世界大戦後、日本の資本主義が飛躍的に発展した。人口（当時は植民地があったので本土人口）は明治36年には約4500万人であったものが22年後の大正14年には6000万人近くまで増加した。就労人口は明治30年代前半は農林水産業が3分の2を占めていたが、大正末期には50％程度になった。農業人口はあまり変わらず、人口増加分は都市の工業、サービス業に吸収された。人口5万人以上の都市は明治36年には25都市、人口（本土人口）の12％が、大正14年には71都市、20％に増加した。[※11] 工業化、都市化が進んだ。文化の大衆化も進んだ時代である。

中山晋平は明治20年（1887年）、今の中野市で生まれた。村長を出した旧家であったが、父の死により落ちぶれ、養蚕をする母親の女手ひとつで育った。尋常小学校卒業後、代用教員をする。「唱歌先生」と呼ばれたくらい歌の好きな先生であった。上京し、文学者である島村抱月の弟との縁で島村抱月の書生となる。その3年後、東京音楽学校に入学する。

島村抱月は大正3年に女優の松井須磨子（長野市松代町出身）と芸術座を立ち上げる。新劇が勃興してきたときで、松井は文芸協会公演『人形の家』のノラ役で社会的反響を呼び、スターダムを駆け上がった。松井はその後の生涯から大正文化の象徴的人物のひとりとなるが、別のジャンルで触れることがあるかもしれないのでここではあまり触れない。

島村は公演する『復活』の劇中歌である「カチューシャの唄」の作曲を中山に依頼した。島村が作った歌詞を次のように言って渡した。「日本の民謡のメロディーと西洋のメロディーを折衷したものをこしらえろ[※12]」と。伊沢修二の国楽を興すときのセリフに似ている。中山にとって初めての作曲であり、1カ月を要してまとめた。大正3年（1914年）である。依頼どおり、日本の作曲家の歌謡としては初めて西洋の旋律を用いたものであった。ただ、歌い手である松井は西洋音階を知らない。「教えるのに閉口した[※13]」と中山が後に述べたように、なかなか上手く歌えなかったようだ。歌は人々を魅了し、爆発的に流行した。

この曲が作られるまで、大衆歌謡は民謡、小唄、浪曲、演歌と日本の伝統音階の範疇にあるものであった。ここでいう演歌とは自由民権運動の政治活動家が演説を歌に代えて歌ったものである。そのため、演歌といわれた。**「カチューシャの唄」によって流行歌という概念が生まれ、日本で流行歌の第一号といわれる。**レコードが出回り始め、レコード流行歌の第一号ともいわれる。西洋音楽を導入した唱歌教育は前に述べた滝廉太郎、山田耕筰の作曲による名歌を生み出した。大衆歌謡のレベルでも西洋音階を使用した名歌が誕生したのである。中山はこの作曲で一躍有名になる。その後も、「さすらいの唄」、「ゴンドラの唄」など劇中歌の名曲を次々と発表し、流行歌界の寵児となった。中山晋平時代が到来した。

「船頭小唄」はこれほど息の長く愛された流行歌はないといわれている。「おれは河原の枯れすすき」の歌である。中山晋平は「カチューシャの唄」にヨナ抜き音階を用いたが、「船頭小唄」にはヨナ抜き短音階を使った。これは「晋平節」と呼ばれ、その後の流行歌の基本音階となった。ヨナ抜きはドレミファソラシドのファとシが抜ける音階である。当時は音階をヒフミヨイムナと呼んでいて、そのヨとナが抜けていた。日本の音階は5音階で、西洋の7音階から2音階を除いたヨナ抜きは日本の伝統的音階に近いものであった。

唱歌「蝶々」、「蛍の光」もヨナ抜きである。現在のポップス、J－POPでもAKB48の「恋するフォーチュンクッキー」などで使われている。大正12年、関東大震災が起こった。作家・幸田露伴はこのような歌が流行るからだと、この曲のヒットを批判した。作詞は野口雨情である。退廃的な歌詞と、それを運ぶ物悲しい陰鬱なメロディーのためである。

昭和8年（1933年）、日本は国際連盟を脱退した。この年に発表された、「東京音頭」は今も東京だけでなく日本の盆踊りの歌のごとく流されている。

中山晋平は民謡に興味を示した。作曲家・本居長世が新日本音楽の研究会を作ったときにメンバーとして参加し、野口雨情とふたりで民謡調査に各地を歩いた。調査はレコードを販売するために、レコード化する曲として民謡を発掘するというレコード会社の要請も後押しした。須坂市の製糸工場から社歌の依頼を受けた。野口雨情と須坂に訪れて作った「須坂小唄」は町の人にも広まって歌われた。それが刺激となって各地で民謡が競って新作されるに至った。新民謡運動である。結果、「須坂小唄」は新作地方民謡の第一号となった。作曲の依頼は中山が最も多く、200曲以上に上っている。「鎮西小唄」、「上州小唄」などである。大正から昭和初期にかけて新民謡全盛時代を築いた中核者である。流行歌「船頭小唄」、「東京音頭」も新民謡運動の所産である。

島村抱月の死後、中山は童謡に力を入れた。童謡作曲家のなかでも最も多くのヒット作を書いたのも彼である。先に挙げた、浅原鏡村の「てるてる坊主」は中山の作曲である。盟友・野口雨情とのコンビでは「シャボン玉」、「黄金虫」、「兎のダンス」、「証城寺の狸囃子」、「雨降りお月さん」などがあり、西條八十作詞では「肩たたき」などがある。

中山晋平は生涯で約３０００曲をも作曲し、「日本のフォスター」と呼ばれている。なぜ、中山の曲は人々に受け入れられ、今なお歌い継がれているのであろうか。

彼の歌は分かりやすい、と言われる。大正期から昭和初期、音楽大学等の高等教育の場で音楽を学んだことがある人はごく一握りである。そうでない人が歌える歌はどういうものか絶え間ない自問自答を繰り返したと、野口清人は述べている。[※14] これには、「カチューシャの唄」で松井須磨子に歌を教えたときの苦い経験があったからであろうが、女手ひとつで育ててもらった母から「私にもうたえる歌をたくさん創っておくれ[※15]」と言われた、母の希望に応えるためだったとも言われている。

誰でも歌える歌作り。中山の原点である。この実施に際して、彼は日本人の情緒を尊重した。童謡作曲に際して「古来各地で行われている郷土童謡、手まり唄、羽根突きの唄のリズムを用いた。日本に住み、日本語で話し、日常生活をしている子供たちとこのリズムは密接な関係を持っている」と語り、「然るに、国定の唱歌教科書など此のリズムを用いた歌が、ただの一つも見当たらない[※16]」と唱歌を作曲面でも批判した。西洋音階を採用しながら、ヨナ抜き音階を用いて日本の伝統的旋律を奏でた。また、中山は囃子言葉の天才と評される。「カチューシャの唄」では日本の民謡に近い味を出すために「ララ」という囃子言葉を挿入した。「東京音頭」の囃子言葉は日本人の土着の律動を呼び出している。「証城寺の狸囃子」は題名のとおり、囃子言葉が主題である。「ぽんぽこ　ぽんの　ぽん」は中山が、当初は野口雨情が「どんどこどん」と作詞したものを無断で軽い音に改作してしまった。リズムを優先させた閃きである。日本人の持っている音感を呼び覚まし、誰でも歌える曲作りを実践したのが名曲を量産した理由であろう。ジャズピアニストの山下洋輔は次のように言う。「基になっている音列がすごく素晴らしい。音列にはいくら掘り起こしても尽きないような何かが埋め込まれている[※17]」と。

□関連ミュージアム　中山晋平：中山晋平記念館（中野市）。

6 戦後の歌謡界と、音楽家たち

歌謡曲という言葉は、昭和8年ごろからＮＨＫが日本人の作曲した流行歌をそう呼ぶようになって定着した。[※18] 中山晋平に続き、作曲家では古賀政男、服部良一が推進した。古賀は、「古賀メロディー」と称えられて数々のヒット曲を飛ばした。彼は明治大学商科出である。それまでは作曲家は音楽大学出身者ばかりであった。音大出でない作曲家が活躍するようになったことは、西洋音階の受容が国民全般に広がったと解釈できる。音楽の専門教育を受けなくとも曲作りができる素地が国民のなかに醸成された。伊沢修二、神津専三郎らが種を蒔いた日本の近代音楽が日本人に広く浸透したといえるであろう。

第二次世界大戦後の流行歌の変遷をみると、昭和30年代はアメリカからの輸入音楽に交じってフランク永井、石原裕次郎らが歌うムード歌謡やシャンソンが巷間で流れた。40年代、50年代はビートルズらの影響を受けてグループサウンズが隆盛したほか、アイドルが歌う歌謡曲、演歌、フォークソング、荒井由実に始まるニューミュージックなど多岐のジャンルの歌がヒットを競い合った。作曲家では古賀政男、服部良一ほか中村八大、遠藤実、いずみたく、などが担い、作詞家では阿久悠、三木たかし、なかにし礼、松本隆などが活躍した。

クラッシック音楽界では作曲で山田耕筰、武満徹らが牽引した。

戦犯死刑囚としてフィリピンのモンテンルパの刑務所に収容された**代田銀太郎**（大正3

年、飯田市生まれ）は同僚を勇気付けるために「ああモンテンルパの夜は更けて」を作詞した。作曲は同じ死刑囚の伊藤正康。歌手渡辺はま子が刑務所を慰問し、涙ながらに熱唱した。これがきっかけとなって日本人戦犯の特赦、釈放が行われたという。代田も釈放され、地元に戻り生涯を終えている。

歌手・千昌夫は「北国の春」を歌い、その歌はロングヒットになった。千の故郷である岩手県を舞台にした歌詞である。作詞した**いではく**は、自分の故郷である信州を思い浮かべて作ったという。

いではは昭和16年（1941年）に佐久地方の南端に位置する高原の南牧村野辺山に生まれた。レタスを中心とした高原野菜の産地である。信州は寒い。なかでも南佐久地方は特に寒い。内陸で標高が高い。野辺山にはJRの小海線が走るが、野辺山駅は日本で一番標高の高い鉄道駅である。厳寒ゆえに春を待ち焦がれる。南風は高原に春の訪れを告げる。いではは遠藤実の秘書を務め、作詞家としてデビューした。「北国の春」の作曲は遠藤実である。北島三郎「比叡の風」、小柳ルミ子「南風」、杉良太郎「すきま風」などを作詞している。タイトルや歌詞に「風」という言葉が使われていることが多いことに気付く。高原では風が季節の変化を如実に表す。幼少、少年期の故郷での経験と故郷への想いが作詞に強く影響しているのであろう。

山川啓介は昭和19年に佐久市で生まれた。本籍は、いではく、と同じ南牧村である。大学も同じ早稲田大学である。大学在学中にサークルでミュージカルの台本、脚本を書いていた。「そのままずるずると[※19]」作詞家、劇作家になったと本人は述べる。昭和34年にテレビが民間（フジテレビ）でも開局し、ラジオ、レコードと相乗効果を上げて歌謡曲は発展した。彼の在学中は「いい曲があれば、学生バンドでもどんどんレコードを出してもらえる時代[※20]」であった。レコード会社や音楽プロダクションに出入りするようになり、作詞のひとつが作曲家のいずみたく、の目にとまった。いずみたくは彼に若い才能を見出した。フォークグループの青い三角定規が歌った「太陽がくれた季節」である。昭和47年（1972年）である。音楽の教科書にも載るようになった歌である。続いて放送された「われら青春！」の主題歌、いずみたくシンガーズが歌う「帰らざる日のために」、挿入歌の中村雅俊が歌う「ふれあい」も、ともに10代、20代の若者の心を掴んだ。これらのため、「青春歌謡作家」と称された。本人はその呼称をイメージが固定化されるようで好きでなかったようにみえる。日本は第二次世界大戦で敗北した。戦後、占領国アメリカから個人の権利を尊ぶ民主主義が導入された。高度経済成長で工業化が進展した。工業化は人々に物質的豊かさをもたらし、人と人との関係が希薄になっても生活できる環境を与えた。人々は経済活動に邁進する。サラリーマンが「モーレツ社員」と、時間関係なく猛烈に働き、企業戦士として称えられていた。若い人々は青春とは何かを問うことで、生きることの意味を考えた時代であった。

岩崎宏美の歌謡ヒット曲「聖母たちのララバイ」、矢沢永吉作曲のロック「時間よ止まれ」、ゴダイゴが歌うアニメソング「銀河鉄道９９９」、郷ひろみが歌った「哀愁のカサブランカ」の訳詞と様々なジャンルの作詞を手掛け、「青春歌謡作家」だけでないことを証明した。むしろ多彩である。

山川は童謡作家の野口雨情、西條八十、北原白秋を尊敬していた。子供番組の「おかあさんといっしょ」では本名の井出隆夫の名前で歌詞と台本を書いた。そのなかでヒットした「北風小僧の寒太郎」は出身地の佐久地方にある松原湖の冬の景色をイメージしながら作った歌詞である。

作詞家の**阿木燿子**は昭和20年、長野市の善光寺門前町で生を受けた。夫の宇崎竜童とのコンビで、彼が率いるダウン・タウン・ブギウギ・バンドの「港のヨーコ・ヨコハマ・ヨコスカ」、山口百恵の「プレイバックPart2」など数多くのヒット曲を作った。

ダン池田は昭和10年に生まれている。生まれはソウル。戦後、両親の地元松代に引き揚げて地元の高校を卒業し、進学した中央大学在学中からプロのバンド活動を始めた。ダン池田とニューブリードのバンドを結成した昭和44年、歌番組の「夜のヒットスタジオ」がカラー放映に切り替わったのと同時に専属バンドとして抜擢された。「夜のヒットスタジオ」は昭和43年に始まり、22年間放送された長寿歌番組であった。NHKの「紅白歌合戦」では10年余りの長い間にわたり、バックミュージックの指揮者を務めた。

松本礼児は昭和18年に松本市に生まれ、日本航空の国際線チーフパーサーを経てポニーキャニオンに引き抜かれる。アイドル歌謡、演歌の作詞をした。石野真子「ジュリーがライバル」、細川たかし「女ごころ」、村田英雄「なみだ坂」などである。

昭和47年（1972年）から50年にかけて山川啓介は青春歌謡を書いた。吉田拓郎は「結婚しようよ」、「旅の宿」、「落陽」を、井上陽水は「傘がない」、「夢の中へ」を、かぐや姫は「神田川」、「赤ちょうちん」を歌った。荒井由実は「あの日にかえりたい」、『いちご白書』をもう一度」を発表して、ニューミュージックと呼称されるものが流行歌に入ってきた。人々は日々の生活で物質的豊かさを享受し、導入されたアメリカ型民主主義が浸透して個人的自由は常識となった。傍ら、人々は孤立感を深めていく傾向もあった。工業化社会の次の情報化社会も準備されていた。**久石譲**は昭和49年にテレビアニメ「はじめ人間ギャートルズ」の音楽を担当して商業的にデビューをした。彼はＪＡＳＲＡＣ（日本音楽著作権協会）の会員作家インタビュー[※21]のなかで「尖る」という言葉を頻繁に使っている。現在の社会体制を批判したり、自己の存在を宣言するために「尖る」というよりも前衛芸術を追求するために「尖って」いた。

久石は昭和25年、高野辰之、中山晋平と同じ中野市に生まれた。4歳から自宅の近くにあった鈴木才能教育に通い、ヴァイオリンを学んだ。そのときから音楽家になろうと思ったという。吹奏楽クラブに所属した中学校のとき演奏よりも曲作りに魅力を覚え、作曲家を志した。国立音楽大学に進む。在学中から自身以外の者も含めて新作した曲を発表するコンサートを企画して開いた。ミニマル・ミュージックに感化される。ミニマル・ミュージックは音の動きを最小限に抑え、パターン化された音型を反復させる音楽である。昭和56年にリリースした「ＭＫＷＡＪＵ」と「近代能楽集」は日本のミニマル・ミュージックの先駆的な作品である。現代音楽家として作曲、交響楽団の編曲の仕事をしながら、テレビアニメ「はじめ人間ギャートルズ」の音楽担当を行った。

昭和59年、宮崎駿監督のアニメ映画「風の谷のナウシカ」の音楽を担当する。この音楽で一躍、有名になる。続いて、「天空の城ラピュタ」、「となりのトトロ」、「魔女の宅急便」と平成25年（2013年）の「風立ちぬ」まで約30年間、宮崎監督作品の音楽を担当した。宮崎監督のアニメ制作会社ジブリの名前から、久石譲といえばジブリ音楽と連想してしまう。映画の音楽担当は、宮崎駿のほか北野武監督「BROTHER」などの日本映画にとどまらず、韓国のドラマ「太王四神記」、中国映画「おばさんのポストモダン生活」、フランス映画「プセの冒険　真紅の魔法靴」などの海外作品も行っている。受賞歴をみると、平成4年（1992年）から日本アカデミー賞最優秀音楽賞を3年連続で受賞し、その賞は計8回も獲得している。韓国、香港、イタリア、アメリカと海外での映画音楽祭でも受賞し、世界的な映画音楽作曲家として日本のその頂点に立つ。「天空の城ラピュタ」の「君をのせて」、「魔女の宅急便」の「海の見える街」に流れる旋律は悲しいまでに優しい。ミニマル・ミュージックの旋律が曲作りに反映している。

久石が現代音楽を求めながら、ポピュラー音楽に携わるのは幼少の頃に年間300本もの映画を観た経験があるからであろう。また、多くの人に聞いてもらえる音楽を作りたいという意識があるからであろう。平成28年に開館した長野市芸術館のコンセプトはアートとエンターテインメントが組み合わさった造語「アートメント」である。その芸術監督に就任したとき、次のように抱負を語った。「クラッシックの王道と現代音楽を同じプログラムで聴ける。聴いて楽しいものをきちんと選べば誰にでも伝わると思っていると確信する」[※22]と。音楽に対するニュートラルな姿勢がある。実際、現代音楽やクラッシックの魅力も多くの人々に伝えたいと平成16年に新日本フィル・ワールド・ドリーム・オーケストラを組織し、自作のほかクラッシック作品の指揮を執った。クラッシックのプログラムで東京フィル、東京交響楽団を指揮する。彼の指揮するクラッシック演奏会は活況を呈する。それは彼のネームバリューだけではなく、人々に分かりやすい楽曲の演奏を心掛けていることと、人々を惹き付ける優しさがあるからである。彼は作曲に際して誰にも負けたくないと志す。そう苦心しながら、「考え抜いた先の個性という段階で、自分が日本で生まれ育ったという、この環境で育まれた良さがきっとあるだろうと考えます」[※23]と述べる。日本人の心の旋律を求める。これを忘れないからであろう。彼の曲の優しさの理由であると思う。

久石が習った**鈴木才能教育**はスズキ・メソードと呼ばれる。ヴァイオリンの幼児教育として現在は世界46カ国と地域[※24]で教室が展開されている。創始者の鈴木鎮一が昭和21年に松本市に開設した松本音楽院から始まった。

鈴木鎮一の甥である**鈴木良雄**は木曽に昭和21年に生まれた。日本ジャズ界を代表するベース奏者であり、日本のジャズ界のリーダー的存在である。クラッシックの素養を持ち、日本人の感性でジャズを弾く独自の世界を築いてニューヨークを中心に活躍している。

ここまで信州出身の音楽家を追うことで近代及び現代の日本音楽史を俯瞰することにもなった。伊沢修二、神津専三郎が近代日本音楽の扉を開き、レールを敷いた。唱歌、童謡で多くの信州出身の音楽家たちが光彩を放った。中山晋平は日本の歌謡曲を開拓した。戦後も排出した。それらと比較すると、昭和40年代後半以降に隆盛したフォークソングやニューミュージック、平成になって名付けられたJ－POPで時代を牽引するような音楽家が見当たらない。フォークソングで**わさびーず**、ニューミュージック系で**H_2O**が挙げられるくらいである。なお、J－POPは平成の始まるころに演歌以外の日本製ポピュラー音楽をそう総称して呼ぶようになった。[※25]

わさびーず、は堀六平（昭和21年、穂高町生まれ）が主催したグループで民謡をベースとしたカントリーソングを歌った。H_2Oは上田市の中学校で同級であった中沢堅司と赤塩正樹（ともに昭和32年生まれ）の二人組のグループで、映画「翔んだカップル」の挿入歌「ローレライ」でデビューした。「想い出がいっぱい」がヒットしたが、その後は続かず、グループは9年ほどで解散した。

唱歌、童謡を中心とした音楽家の輩出と、昭和後期から平成でのポップス系でのその少なさは何か背景はあるのであろうか。

「唱歌と童謡は日本人の誰もが心の襞の奥底に眠らせている故郷への思いなのかもしれません」とテレビの報道記者は述べた(※26)。

故郷への思いは、祖父母、父母、兄弟、友達がいて彼らと生活をし、遊んだ懐かしく、かけがえのない思い出である。そこには稲作を中心とした日本の田園風景があった。春におたまじゃくしが泳ぎ、秋に赤とんぼが舞う、全国のどこにでもあった日本の原風景である。長野県にも当然ながらあった（①）。明治維新に始まる日本の近代化は政治経済の中央集権化を図り、人材を大都市に集め、工業化は工業地帯に労働力を集積した。故郷からそれらに移った人々が故郷を懐かしく思う。

故郷を思うには、時間とともにそこから離れる距離が前提である。長野県は首都東京に適度に近い。上京しやすい地理的要因がある（②）。長野県は自然は豊かだが平地は少なく、冬の寒さは厳しい。いではく、は述べる。「信州は、昔は長男以外、外に出て働かなければならなかった。外に出てもやっていけるように教育に力を入れた(※27)」。寒村のため、次男三男まで養える経済力がなく地元から出ざるをえなかった経済的要因があった（③）。

地元を出た信州人が故郷を思うという、①、②、③の月並みなことが唱歌、童謡を中心として名曲を生んだ理由であると考える。高野辰之、草川信、海沼実、いではく。今まで書いてきた音楽家たちも故郷での体験が強く曲作りの源になっている。

大都市への人口集中、工業化は第二次、第三次産業への産業移行を促した。産業形態の変化は農村社会を解体し、人とのつながりが薄くとも生活できる社会を構築した。田園での生活体験が消失すると、それを懐かしく思うことが消失し、それを基に音楽を作ることもなくなる。戦後の昭和中後期には名曲を生むと考えた要件のひとつ①が減少した。田園風景は名歌を生む土壌ではなくなった、といえる。

全国で道路、鉄道と交通網が整備された。長野県も高速道路が通り、長野オリンピックを契機として長野新幹線が開通した。新幹線で東京駅と長野駅とが約2時間で行き来できるようになった。首都東京に出て地元の長野を思う。この故郷への思いは信州人から薄れる。帰ろうと思えばいつでも帰れる。帰れるどころか、東京へ新幹線通勤する長野県在住者がいる。フォークソングの中心が北九州や広島であったように故郷を懐かしく思うにはすぐには帰郷できない距離が必要である。名曲を生むと考えた要件の②は要件でなくなった。

物質的豊かさと個人的自由を獲得した昭和中後期以降は人々は社会との関わりより、自身の身の回りのことに気が向く。続いて自分に合った快感を求めるようになる。歌の発信は田園での幼少時の体験者ではなく、生まれながらの都市生活者に変わる。都市部は音楽環境が教育、ふれること、発信と整っているのは言うまでもない。ニューミュージック、J－POPの主な音楽家をみてみると大都市出身者が多い。荒井由実（結婚をして松任谷由実）は東京都八王子市、山下達郎や佐野元春、おニャン子クラブをプロデュースした秋元康は東京23区、小室哲哉は東京都府中市といずれも東京都である。つんく♂は東大阪市など。

音楽評論家の**富澤一誠**は昭和26年に須坂市に生まれた。須坂市は久石譲などが生まれた中野市の隣町であり、多くの童謡作家を出した松代とも隣接している。東大に入学するも中退、歌手を志す。すぐに挫折する。以降、評論家としてフォークソング、ニューミュージックを中心に取り上げて活動し、そのジャンルの評者として第一人者である。個人的な情念を音楽にぶつけたかったが、中途半端にしか爆発できなかったのではないかと推測する。長野県には人との結びつきが残る。孤立化しがちな個人は人とのつながりを希求し、自由な身分の獲得は逆にアイデンティティを見失いがちになる。自分探し、愛の希求、管理化社会への息苦しさ。これらに対する叫びを中途半端にしか上げられなかったのではと。また、個人的快楽追求に徹しきれなかったと。

日本の近代化の過程が信州人が名曲を多く生んだ理由であり、近代化の結果が信州人が名曲を生みにくくさせた原因と言っても言い過ぎではないような気がする。

「歌は世につれ世は歌につれ」という。世相に連れてヒット曲は変わる。ヒット曲の流布により世相が変わる。ただ、中山晋平や久石譲が日本人が心に抱くメロディーに気を配ったように、日本人が遺伝子として持つメロディーを採掘することが名曲を生む条件であることは変わらないであろう。

信州の音楽家たちは自然をエネルギーにして歌い、演奏するのを得意とする。平地の少ない天龍村に生まれ育った**森田梅泉**（ばいせん）は伊勢神宮、出雲大社、八坂神社、薬師寺、善光寺などの神社仏閣で演奏会を開いて様々な笛を吹く。縄文の笛、木の実の笛、能管、龍笛、フルート。「大自然のなかで動物や虫、草花とふれあい、語り合ううちから自身の音のベースをつくった」(※28)という。代表曲に作詞作曲した「ありがとう」がある。自然から音をもらったような曲である。梅泉の芸名は彼女の江戸時代の祖先である女医からもらった。

上田市に昭和24年に生まれた**黒坂黒太郎**は早稲田大学在学中からライブでシンガーソングライターとして活動を始めた。民俗学者の宮本常一と出会い、「文化は中央だけにあるものではない。地方を歩け」という言葉に触発されて中央の音楽界の一線から退く。父は中学校教師で長野県の史学会会長を務めた郷土史研究家であった。家庭環境がその言葉を受け入れる素地を作ったのかもしれない。彼の家の近くに弘法大師が独鈷を埋めたという奇怪な山襞をもった独鈷山が構える。過疎村、離島など地方を丹念に歩き、コンサートを続ける。ハンガリーで手にした桜の木のオカリナを日本に持ち帰り、改良した。コカリナと名付けた。その創設者である。東日本大震災では倒壊した松の木をコカリナにして地元小学生に配った。彼のコカリナ演奏は、木に宿る精霊に代わって音を奏でているかのようである。

7 様々な音楽家たち

小山清茂は現代音楽の作曲家である。大正3年（1914年）に長野市の山深い農家で生まれた彼は幼少期、西洋音楽に触れることがなかった。彼が耳にしていたのは祭囃子、わらべうた、村人たちが歌う即興の民謡であった。小学校のとき、軍楽隊の演奏に触れる。西洋音階である。「まるで夢のような体験だった」と、インターネットの百科事典『ウィキペディア』に記されていた。(※29) 中山晋平も子供のときに軍楽隊と同じ太鼓と吹奏楽器とで編成される音楽隊の演奏を聞いて「どんなにか私の音楽に対する憧憬心を湧き立たせたことか……一生音楽の方向へ進もうと決心を固めた[※30]」と語っている。庶民の伝統的な邦楽に包まれていた者にとって西洋音楽は異次元のファンタジーに感じたようである。それがきっかけか、教員養成学校の長野師範学校（現在の信州大学教育学部）を卒業して教員をしながらも作曲の勉強をした。故郷の秋祭りの神楽を題材とした「管弦楽のための信濃囃子」が昭和21年の音楽コンクール（現在の日本音楽コンクール）で第一位になり、センセーションを呼んだ。代表作は「管弦楽のための木挽歌」である。太鼓の響きは「幼少期を過ごした家のすぐ隣の神社から毎日のように聞こえていた神楽太鼓から来ている[※31]」という。管弦楽の研究者である岡崎隆はこの曲の冒頭、木挽きの音を聞いて「『日本人でよかった』としみじみ思う」と感想を述べ、この曲を「日本のすべての管弦楽曲を代表する名曲[※32]」と称えた。日本の伝統的庶民音楽を西洋音楽で構築した作曲家である。

イタリア歌曲の第一人者である**嶺貞子**は飯山市生まれ。

アルパを世間に広く知らしめたアルパ奏者、**上松美香**は昭和57年（1982年）に穂高町に生まれた。

ピアニストでは、平成17年にショパン国際ピアノコンクールで4位に入賞した**山本貴志**がいる。昭和58年、長野市の生まれである。

コソボ紛争下のなかで、コソボフィルハーモニー交響楽団の指揮を執る日本人がいた。**柳澤寿男**である。旧ユーゴスラビアの民族共栄を願いバルカン室内管弦楽団も設立した。昭和46年（1971年）、下諏訪町出身である。

coba、本名小林靖宏は世界的なアコーディオン奏者である。昭和34年（1959年）に松代で生まれた。小学校4年の誕生日に父からアコーディオンをプレゼントされ、愛着の湧いた楽器の演奏を極めるために本場イタリアに留学、腕を磨いた。平成18年（2006年）、そのイタリアで開催されるアコーディオンの世界最高峰の音楽祭「国際アコーディオン・コンクール」で「金のリード賞」を受賞した。それは世界で最も活躍するその奏者に贈られる賞である。もちろん日本人としては初である。手掛ける曲はポップス性に優れ、スポーツ選手の演技使用曲にも採用された。「eye」はバンクーバー冬季オリンピック（平成22年〈2010年〉開催）で、フィギュアスケートの高橋大輔がショートプログラムで使用した。高橋は銅メダルに輝いた。「時の扉」はロンドンオリンピック（平成24年開催）で、体操の寺本明日香が使用した。映画音楽、クラッシックのオーケストラにも楽曲提供をしている。アコーディオンは伴奏が主で演奏として脇役のイメージが強い。それを主役に持ち上げた。アコーディオンのイメージを変えた人物と評される。

松本市では毎夏、世界的な音楽祭である**セイジ・オザワ松本フェスティバル**が開催されている。旧サイトウ・キネン・フェスティバルである。平成4年（1992年）に、世界的指揮者である小澤征爾が旧名のとおり、彼の恩師の齋藤秀雄を記念して結成された。総監督である小澤征爾は特に長野県とゆかりがあるわけではない。松本市を本拠地に選んだのは東京に近く、自然豊かな地がその理由であったようである。

小澤の中学の担任が諏訪の出身者であった。トロント交響楽団の監督として帰国したときに、先生は羽田空港まで迎えに来てくれ、「諏訪交響楽団を指揮してくれ」とそのまま諏訪に連れていかれ、3日間稽古をしたそうである。その思い出から「信州には芸術を受け入れる土壌があると昔から思っていた。フェスティバルの本拠地を決めるときも、長野県の人は芸術を理解し、受け入れてくれた。大変うれしく思います。[※33]」と述べた。

平成25年（2013年）に小澤征爾が指揮した「こどもと魔法」が、平成28年2月、アメリカで最も権威のある音楽賞であるグラミー賞で最優秀オペラ録音部門賞を受賞した。サイトウ・キネン・オーケストラが演奏し、プロに交じって松本市の市民や、小学生から高校生までの生徒が加わっている。小澤は受賞会見で「松本でやったことがよかった[※34]」と開催地の文化土壌に感謝した。

諏訪交響楽団は下諏訪町に拠点を持つ、アマチュアのオーケストラとしては大正14年

（1925年）に結成された日本最古の楽団である。海外公演を行うなど活発な活動をしている。

松本市は鈴木才能教育発祥の地であり、セイジ・オザワ松本フェスティバルが開催されている。若き作曲家・**横井佑未子**は松本深志高校を卒業した。松本市は「音楽教育に熱心な地域」で小学校のとき合唱クラブに入った彼女は「普段から朝練があるなど、中学高校の部活並みにハードな環境でした[※35]」と述懐している。平成20年、第25回現音作曲新人賞を受賞した。

現音作曲新人賞には、**山本哲也**（平成元年、中野市生まれ）も「誤謬」でとっている。国立音楽大学に在学中に受賞するという快挙であった。

【注記】

※1　講義風景、昭和天皇のご様子、性格は、インターネット専修大学学術機関リポジトリ「《高野辰之記録》文学博士・高野辰之の人柄と学風について」芳賀綏

※2　『唱歌・童謡120の真実』竹内貴久雄　ヤマハミュージックメディア　2017年3月10日初

版発行　66頁

※3　インターネット「草川信の音楽作品の成り立ち」森田信一・松本清　富山大学人間発達科学部紀要　2006年12月

※4　『唱歌・童謡ものがたり』読売新聞文化部　岩波書店　2013年10月16日第1刷発行　403頁

※5　『唱歌・童謡ものがたり』403頁

※6　『唱歌・童謡ものがたり』299頁

※7　インターネット　フリー百科事典ウィキペディア「山上武夫」

※8　『唱歌・童謡ものがたり』376頁

※9　『唱歌・童謡ものがたり』22頁

※10　『信州の人物　余聞』滝澤忠義　ほおずき書籍　2010年4月12日発行　250頁

※11　『詳説　日本史研究』五味文彦・高埜利彦・鳥海靖編　山川出版社　1998年9月20日第1刷発行　416頁

※12　『日本流行歌史〈戦前編〉』古茂田信男編　社会思想社　1981年発行　49頁

※13　『日本流行歌史〈戦前編〉』49頁

※14　インターネット「音楽家中山晋平の作曲行脚をたどる」野口清人　2009年8月18日記

※15　インターネット「音楽家中山晋平の作曲行脚をたどる」

※16　『日本流行歌史〈戦前編〉』60頁

※17　インターネット「音楽家中山晋平の作曲行脚をたどる」

※18　『Jポップとは何か』烏賀陽弘道　岩波書店　2005年4月20日発行

※19　インターネット「言葉の達人　山川啓介」
※20　インターネット「作家で聴く音楽　山川啓介」
※21　インターネット「作家で聴く音楽　久石譲」
※22　『信濃毎日新聞』２０１６年4月30日付記事
※23　インターネット「作家で聴く音楽　久石譲」
※24　２０１６年8月1日現在の数。『信濃毎日新聞』同日号
※25　『日本の流行歌』生明俊雄　ミネルヴァ書房　２０２０年11月1日初版第1刷発行　１４４－１４５頁
※26　『唱歌・童謡ものがたり』２９６頁
※27　インターネット「文祥堂フォーラム第２５８回　歌は時代の鏡」
※28　インターネット　森田梅泉　official website
※29　インターネット　フリー百科事典ウィキペディア「小山清茂」
※30　『真田坂総集編』上田市松尾町商店街振興組合編集　２０１６年8月20日　6頁
※31　インターネット「日本の作曲家たち／11　小山清茂」
※32　インターネット「日本の作曲家たち／11　小山清茂」
※33　『季刊信州』２０１５夏号刊
※34　『信濃毎日新聞』２０１６年2月18日付記事
※35　インターネット　国立音楽大学ホームページ「横井佑未子」

【参考文献】

インターネット　フリー百科事典ウィキペディア　各該当人物

インターネット　専修大学学術機関リポジトリ「《高野展記録》文学博士・高野辰之の人柄と学風について」芳賀綏

『唱歌・童謡120の真実』竹内貴久雄　ヤマハミュージックメディア　2017年3月10日初版発行

インターネット「草川信の音楽作品の成り立ち」森田信一・松本清　富山大学人間発達科学部紀要　2006年12月

『唱歌・童謡ものがたり』読売新聞文化部　岩波書店　2013年10月16日第1刷発行

『信州の人物　余聞』滝澤忠義　ほおずき書籍　2010年4月12日発行

『詳説　日本史研究』五味文彦・高埜利彦・鳥海靖編　山川出版社　1998年9月20日第1刷発行

『日本流行歌史〈戦前編〉』古茂田信男編　社会思想社　1981年発行

インターネット「音楽家中山晋平の作曲行脚をたどる」野口清人　2009年8月18日記

『童謡・唱歌でたどる音楽教科書のあゆみ』松村直行　和泉書院　2011年11月刊

『昭和歌謡黄金時代』五木ひろし　ベストセラーズ　2012年12月刊

『信州ふるさとの歌大集成』市川健夫・吉本隆行監修　一草舎出版　2008年2月23日第1刷発行

『日本の流行歌』生明俊雄　ミネルヴァ書房　2020年11月1日初版第1刷発行

『歌う大衆と関東大震災』永嶺重敏　青弓社　2019年10月16日第1刷発行

『Jポップとは何か』烏賀陽弘道　岩波書店　2005年4月20日発行

インターネット「文祥堂フォーラム第２５８回　歌は時代の鏡」
インターネット「言葉の達人　山川啓介」
インターネット「作家で聴く音楽　山川啓介」
インターネット「作家で聴く音楽　久石譲」
『信濃毎日新聞』２０１６年4月30日
インターネット　森田梅泉　official website
インターネット「コカリナの世界へようこそ」黒坂黒太郎、コカリナの公式ホームページ
インターネット「日本の作曲家たち／11　小山清茂」
『真田坂総集編』上田市松尾町商店街振興組合編集　２０１６年8月20日
『季刊信州』２０１５夏号　２０１５年6月刊
『信濃毎日新聞』２０１６年2月18日
インターネット　国立音楽大学ホームページ「横井佑未子」
『歌謡曲』高護（こうまもる）　岩波書店　２０１１年2月18日第1刷発行
『Ｊ－ＰＯＰ進化論』佐藤良明　平凡社　１９９５年5月20日発行

2 美術の世界

1 日本近代美術の始まりと川上冬崖たち

美術の近代化は西洋画の研究から始まる。江戸時代後期に司馬江漢が油絵を描いたが、その後の美術史の観点から眺めると音楽同様に国策の西欧化施策からとなる。**安政3年（1856年）、幕府は洋学知識を得る機関として蕃書調所を開設する。**蕃書とは洋学のことであり、調所は研究所のことである。すなわち洋学研究所の開設である。川上冬崖はそこに出仕し、絵図調出役となって西洋画の研究に従事する。**ここから近代洋画の本格的研究が始まり、日本近代洋画の出発点となった。**このため、冬崖は日本近代洋画の父と言われる。画学局が設置されると、冬崖はその筆頭となる。キャンバス、油絵具など画材も画具もなく、蘭書と首っ引きで西洋画を研究した。油絵具は「傘などに引く油を利用してそれに日本画の顔料を溶かしたりして描いたという」(※1)。ナイフ、筆にしてもそれを作ること自体に苦心した。遠近法、製図、測量術を研究し、石版画を作成した。近代洋画の先駆者である高橋由一は画学局に入局し冬崖に師事するが、彼の指導に飽き足らず、絵入りレポートを本国に送付していたイギリス人ジャーナリストのワーグマンに学んだ。

当時、日本人は西洋画をどのようにみていたか。高橋由一が石版画をみて「悉く皆真に逼りたる[※2]」と驚いたように、**対象を迫真的に写す技術として理解**していた。

川上冬崖は文政11年（1828年）に現長野市の松代藩の農家に生まれた。江戸に出て円山・四条派の絵師に南画を学ぶ。幕府の御家人株を川上家から購入して幕臣となり、蕃書調所に勤めた。明治になると、沼津兵学校、大学南校（後の東京大学）で図画を指導する傍ら、明治2年（1869年）、東京・御徒町の自宅の屋敷に日本で初めての洋画私塾である聴香読画館を開いた。そこでは後に明治期洋画界の主要人物となる者たちが学んだ。小山正太郎、松岡寿、川村清雄らである。地理書『輿地誌略』の挿絵を銅版画で作成、明治4年に日本で最初の文部省図画教科書となる『西画指南』を大学南校から刊行した。

明治14年（1881年）、地図漏洩疑惑事件が起きる。軍港などの実測図が軍人、画工によって清国公使館に密売されたという。その後、陸軍参謀本部の官吏たちが謎の死を遂げる。会計軍吏補は庁舎から転落死、製図御用係は自殺。川上冬崖は参謀本部の地図課に勤めていたが、熱海で首つり自殺。この事件の責任をとったためと言われる。朱色のペンキを体全身に被り、発狂した末とも言われる。当時の地図は要所のスケッチが入り、そのスケッチに画工が採用され、その頂点に冬崖がいた。作家の井出孫六は直木賞受賞作の『アトラス伝説』で政府側からの暗殺として描いた。陸軍は地図測量をフランス式からドイツ式に変えようとしていた時期で、山縣有朋らの陸軍上層部がフランス式地図測量関係者を排斥した説を唱えた。昭和62年（1987年）11月5日にＮＨＫが放映した歴史ドキュメント「地図は国家なり」でも同説を採用した。55歳であった。

洋画の道を開いた冬崖であるが、洋画家としての実績は乏しい。南画は生涯の趣味としていた。洋画研究者、指導者と称する方が適切であろう。

川上冬崖に学んだ者に**樋畑雪湖**がいる。安政5年（1858年）、松代藩の藩士の長男として生まれた。逓信省に勤務し、官製絵葉書と郵便切手のデザインの中心人物として活躍した。退職後は日本の郵便制度に関する著作『日本絵葉書史潮』、『日本郵便切手史論』を書き、また逓信博物館創設の立役者ともなり、逓信省の文化的側面を一身に背負った。

日本の風景観を一変させた名著『日本風景論』（明治27年〈1894年〉刊行）の挿絵を担当している。著者の志賀重昂は愛知県岡崎生まれの地理学者である。札幌農学校を卒業して長野県中学校（旧制長野中学、松本中学の前身）に赴任した長野県にゆかりの深い人物でもある。しかし、1年で辞めている。理由は宴会で県令（現知事）の頭に尿を掛けて懲戒免職になったと複数の書物に記録されている。実際は海外志向による依願退職であると、作家の猪瀬直樹はノンフィクション作品『ミカドの肖像』に書いている。[※3]

雪湖の画号は諏訪湖の雪景色にちなんで自ら付けた。

欧化政策に邁進する**明治政府は明治9年（1876年）、西洋の美術を実利目的に技術として受け入れるため工部美術学校を設置した**。組織的な西洋美術教育の開始であった。画学にはバルビゾン派のイタリア人の風景画家フォンタネージが招かれた。バルビゾン派はフランス・パリに集結した自然描写する画家たちのことである。彼は写実の基本となるデッサンや遠近法などの技術を熱心に教えた。高橋由一が細部まで対象に肉薄する写実を追求したのに対して、フォンタネージは空間の写実を生徒たちにもたらした。

安政5年（1858年）に岩村田藩士山室家の娘として江戸で生まれた**岡村政子**は、一期生として入学した。明治に変わったとき、家族は郷里の岩村田に引き揚げた。岩村田は現在の佐久市の中心部である。16歳のとき、独自で新たな生活を切り開くため、姉の嫁ぎ先を頼りにひとりで上京。神田にあった岩村田藩邸の近くにロシア正教会宣教師のニコライが設置した宣教本部があった。現在もニコライ堂が建つ場所である。宣教本部の寄宿制正教女学校に入学、洗礼を受けた。ニコライは石版印刷を手ほどきしていた政子に画才を認め、工部美術学校に入学させた。ニコライは政子にイコン画家を期待したようである。フォンタネージは2年で学校を去る。後任に不満を抱いた生徒たち十数人が退校した。政子も入っていた。退校後、福沢諭吉の慶應義塾で学んだ岡村竹四郎と結婚、ふたりで銀座に信陽堂石版印刷所を創業した。ニコライは政子が結婚したことでイコン修行目的のロシア派遣を山下りんに代えた。政子は作画と製版を行った。美人画は東京土産として評判であった。社名を東洋印刷に変えた会社は業績を伸ばしたが関東大震災で解散を余儀なくされた。政子の作品もそのときの火災でほとんどが焼失してしまったのは残念である。ムーミンの翻訳者である文学者・山室静は政子の甥である。

□関連ミュージアム　川上冬崖：屋島近代美術館（長野市）。

2 近代日本画の成立と菱田春草、西郷孤月

フォンタネージが日本を去った明治11年、アメリカの哲学者フェノロサが来日した。この二人の出入りは美術界に大きな変化をもたらした。フェノロサは日本美術に関心を持ち、

その素晴らしさを唱えた。ただ、当時も人気のあった南画（文人画）は粗放な表現主義と批判した。フェノロサの言動は美術行政に関与していただけに美術界に対する影響は大きかった。明治15年の政府主催第一回内国絵画共進会では洋画の出品は拒否された。**明治16年、工部美術学校は閉鎖された。フェノロサに感化された岡倉天心は彼とともに明治22年に東京美術学校を設立。設置した学科は伝統画科のみで西洋画科はなかった。**幕府、明治政府の行政施策と個人の努力で種蒔きされ、育ち始めた洋画は突然その道を閉ざされた。天心はフェノロサが説いたナショナリズムを自覚し、洋画を凌駕する日本画の創造を意図した。教師には狩野派の画家・橋本雅邦が招かれた。幕府の庇護を受けていた狩野派は明治になるとパトロンを失い、貧窮していたところであった。東京美術学校は一期生に横山大観、下村観山、西郷孤月が、二期生に菱田春草が入学する。後に日本美術院の四天王と呼ばれる画家たちである。

「日本画壇には多くの巨匠がいるが、天才と呼ばれる日本画家は少ない。（略）日本画の革新を目指す若者の中に天才と呼ぶにふさわしい日本画家がいた。西郷孤月と菱田春草である。[※4]」と松原洋一は述べる。

菱田春草は明治7年（1874年）、旧飯田藩士の三男として生まれた。長兄・為吉は多面体研究者として東京物理学校の教授となり、大正天皇が皇太子であったときにその教育係を拝命された秀才であった。弟も東京帝国大学工学部教授になる。学究肌の血は春草にも間違いなく流れていただろう。東京美術学校に入学するため上京。当時、飯田から上田に出、そこから汽車で東京に行くには4日かかった。2年目から頭角を現し、その傑出ぶりは学校中の評判であった。卒業作品「寡婦と孤児」（明治28年制作）は日清戦争の戦勝に沸く日本の中で夫を失った母と子の現状を描いた。評価は教授会で賛否両論を呼び、批判派は化け物の絵と酷評した。判定は校長の岡倉天心預かりとなり、結局、最優秀の成績になった。

美術界にまた激変が起こった。日本画の革新を目指す岡倉天心はその急進性と学内の独断専行のため明治31年（1898年）に学校を追われた。東京美術学校事件である。天心は在野の団体である日本美術院を設立した。春草は橋本雅邦、横山大観、下村観山らと行動を共にした。春草らは無線描法を試みる。日本画は線で描き、形を表現する。欧州の印象派は色によって描き、輪郭による明確な形は否定していた。その**日本画の伝統であった墨の輪郭線をなくし、色彩の濃淡によって空間把握を行った。日本画の平面性を壊し、西洋画の写実と遠近を取り入れた。**「菊慈童」が代表作である。背景の山々は心を包むように優しい。「菊慈童」に限らず、春草は自然を親しみを持って客観的に見ている。描かれた風景は透き通っているように感じる。幼少時、飯田で目にしていた風景体験からか。この無線描法は西洋かぶれ、絵がはっきりしないと世間から非難を浴び、**朦朧体**と揶揄される。朦朧体の不評によって彼の絵は全く売れなかった。後に、日本画を一新させた画期的画法と高い評価を受けるが。

　明治36年から横山大観との同行でインド、岡倉天心と横山大観との同行でアメリカ、ヨーロッパを外遊する。彼の費用は長兄為吉が用意してくれた。為吉は子供の頃、絵が好きであった。自分がなれなかった画家の道を歩む春草を東京美術学校時代の学費、生活費だけでなく、生涯彼の生活を援助し続けた。欧米で開いた展示会では絵が売れた。その資金で日暮里に家を建てる。しかし、帰国した日本では相変わらず売れず、日本美術院自体が経営破綻して茨城県の五浦（いづら）へ移転する。五浦は漁村でありながら、魚さえ買えなかったという生活を送った。ここで色彩点描法を用いた「賢首菩薩」（明治40年制作）を描く。欧州での後期印象派の明るさ、日本の伝統画の琳派の装飾を取り入れた。朦朧体の弱点である明瞭でない色彩と形態からの脱却である。春草に病魔が襲う。ものが歪んだり、曲がって見える。音楽家に耳が聞こえなくなるのと同じように画家には致命的な目の病気である。腎性網膜炎であった。治療のため東京代々木に移転。執筆がドクターストップとなる。小康状態になり再開。まだ武蔵野の林が残る代々木で名作**「落葉」（明治42年制作）**

を制作。伝統的な屏風形式を用い、柏の葉は輪郭線がある。色彩の濃淡と描写の疎密で空間を表現する空気遠近法を使った。日本画の画材を用いながら、西洋画の写実と遠近法が採用されている日本画でも洋画でもない絵である。静寂に満たされた透明感のあるこの絵は近代日本画のひとつの到達点とされる。しかし、この絵も当時は審査員に評価されなかった。岡倉天心、横山大観は強力に弁護したが、春草は言葉や文章での主張はほとんどなかった。自負のためめか。

「落葉」制作の翌年、「**黒き猫**」を描く。近代日本画で最も有名な絵である。今にも動き出しそうな猫に戦慄さえ覚える。わずか5日で制作された。その翌年、腎臓疾患によって36歳で急逝。横山大観らは早すぎる死を惜しんだ。後年、「大観が日本画の大家と褒められると、『春草の方がずっと上手い。(春草が)生きていれば自分の絵は10年は進んだ』(※5)と答えている。

日本画の伝統的制作方法を破壊し、再構築を繰り返すという、日本画の革新を体現した、まさに近代日本画の創設者であった。その成立の歩みとして「賢首菩薩」、「王昭君」、「落葉」、「黒き猫」が重要文化財に指定されている。

西郷孤月は日本美術院四天王のなかで最も知名度が低い。日本美術院が五浦に都落ちし

菱田春草「黒き猫」

重要文化財　永青文庫所蔵

たときもそこに名はなかった。が、彼が将来を一番嘱望された人物であった。

現在の松本市に松本藩士の長男として明治6年（1873年）に生まれた。東京英語学校で学ぶ。当時、語学を身に付けておけばなんとか生計を立てられるという社会風潮のひとつであった。そこの同窓であった横山大観、下村観山とともに東京美術学校の一期生として入学した。卒業作品は宮内庁買い上げとなった。白い花のなかに佇む馬の構図の「春暖」は淡く、寂寞が漂う。朦朧体も春草よりもいち早く形にしていた。東京美術学校事件が起きると、同校での助教授職を辞職し、日本美術院設立のひとりとして尽力した。同年、橋本雅邦の娘と結婚、媒酌人は岡倉天心であった。孤月が岡倉天心、橋本雅邦に買われていたのが窺える。しかし、酒席で橋本雅邦と口論になり、それ以降、酒と遊蕩に明け暮れるようになった。結婚の1年後には離婚、日本美術院から距離を置くようになった。大観と春草は彼の画才を惜しみ、展覧会に参加させたが、そのときはもはや昔の力量は見られなかったという。

春草死去の前年、「春草がスケッチ旅行に出かけた際、行方知れずの孤月に偶然出くわした。女性と連れ立っていた。[※6]」。これが二人の最後の出会いだった。春草が死去した翌年、台湾に渡り、今までの無気力を振り払うように精力的に筆を握った。春草の画才に嫉妬していたが、日本画壇を背負うのは自分であるという気概が再び湧いたのであろう。その1

年後病気にかかり、帰国するが死亡。38歳であった。枯れていた天才が再び花を咲かせようとしていた矢先の死であった。

□関連ミュージアム　菱田春草：飯田市美術博物館（飯田市）。

3 明治期の絵画の動きと、菊池契月たち

千年の都であった京都は高度に洗練された文化が築かれている。その京都での日本画の近代化は緩やかに移行した。円山応挙が始祖の円山派は写実、遠近法がある。円山応挙の影響を受けた呉春を始祖とする四条派も写実がある。東京からの距離と京都の伝統の壁と円山・四条派の写実性が急激な欧化を防いだのかもしれない。南画はフェノロサと岡倉天心の日本画排斥によっても世間では人気であった。にもかかわらず明治期に円山・四条派は勢力を拡げていく。欧化政策を受けた日本国民の趣向が西欧化していったためか。平面的な絵画よりも写実や立体感のある絵を好むようになっていたといえる。

京都日本画の近代化を進めていった画家の中に信州から京都に上った**菊池契月**がいる。明治12年（1879年）、現在の中野市の代々庄屋や町長を務めた旧家細野家に生まれた。父、兄も絵を好み、少年のころから絵を描くことが好きであった。13歳のときに地元の南

画家・児玉果亭に入門し、契月の画号を与えられた。児玉果亭は第二回内国絵画共進会で橋本雅邦らと並んで銀賞を得た画家である。父は商人か役人にしたかった。小学校高等科を卒業すると呉服屋、製糸工場、町役場で働いた。17歳のとき、画家になりたくて幼馴染みの町田曲江と東京に行こうと家出したが、父に見つけられて連れ戻された。2回目は妹の結婚式のどさくさに紛れて京都に向かった。あてにしていた今尾景年に門前払いを受け、宿泊した宿の紹介で南画家の内海吉堂に入門。契月と町田曲江は南画の画風は飽き足らず、契月は菊池芳文を紹介されてその門下に入る。町田曲江は東京に移った。菊池芳文は京都画壇正統派の四条派の画家である。その頃、明治30年頃であるが、東京での岡倉天心らの日本画の革新の刺激を受けながら四条派も近代化を模索し始めていた。芳文は契月の才能を見抜き、特別目をかけ、厳しい指導をした。明治35年（1902年）、「寂光院」を描く。芳文は南画風で筆味の弱いのが気に入らなかったようである。契月も四条派が肌に合わず、町田曲江を訪ねて東京に行こうかと悩んでいたが、27歳で菊池芳文の娘と結婚して婿養子となり、菊池家の跡目を継いだ。契月は温雅でどこか憎めず、人に好かれる性格であったようである。明治30年代から40年代にかけては歴史画が流行していた。契月は「寂光院」を始め、対象人物の、その人物が持つドラマ、精神を浮き彫りにした歴史画を描いた。線の肥痩を少なくして大和絵風に描いたり、写実を基本に装飾的に画面を構成したり、後期印象派を取り入れたり、琳派風に描いたりと試行錯誤を繰り返した。美術愛好家からは深みのない表面的な情緒表現と批判され、四条派の画風から脱却できずにいた。

渡欧の機会が訪れる。エジプト彫刻、ルネサンス期のフレスコ画や肖像画に感銘を受けた。帰国後は奈良などを訪問して古画、仏画の研究にいそしんだ。画材に存在感があることを認識する。その研究成果の到達点が「南波照間」（昭和3年〈1928年〉）といわれる。南波照間は一夜にして海に沈んだ伝説上の島である。ふたりの女性を前面に並ばせた情緒溢れる絵である。幻の島への憧憬が感じられる。喜多眞理子は契月の制作動機にあこがれがあると説く。「つねに外に希求していく精神、（略）四方山に囲まれた信濃では山を越えたい一心で、京都では東京画壇を、あるいは故郷を思い、日本ではヨーロッパに目を向け、ヨーロッパにいて日本の古典を再発見した。」と。[※7] これは信州人の特質であるかもしれない。

「南波照間」以降は絵から背景が消える。「少女」（昭和7年制作）は普段着の女性を描きながら、線描の端正さ、女性の聡明さが繊細な筆致から生々しい美しさで迫ってくる。白描画作品を制作する。「敦盛」などである。立体的に表現された人物に心情も汲み取れる詩的精神を絵画化した作品群である。

菊池契月と幼馴染みであった**町田曲江**は東京に移ってから黒田清輝の白馬会研究所で洋画を学び、渡欧。インドの仏教美術を研究して日本画家として仏教説話を題材にした歴史画を、後年は花鳥風景を帝展を発表舞台にして活躍した。

明治10年代後半からのフェノロサと岡倉天心の洋画排斥運動を受けた洋画家たちは大同団結して日本最初の洋画団体である明治美術会を明治22年（1889年）に創立した。工部美術学校で学んだ小山正太郎、松岡寿、川村清雄、浅井忠らである。小山、松岡、川村は先に述べた川上冬崖のもとで学んだ画家である。フランスでラファエル・コランに学んだ黒田清輝、久米桂一郎が帰国した。コランは伝統的な写実と印象派の外光描写で描く、ヨーロッパ絵画の伝統と革新との両方を取り入れた画家である。黒田らは明治29年、明治美術会を脱退して白馬会を結成した。同年、**東京美術学校に西洋画科が新設**されて黒田がその授業を一任され、日本洋画のアカデミズムの中枢となっていく。白馬会所属の画家は当時のジャーナリズムで新派と呼ばれ、明治美術会に残った小山、松岡らは旧派と呼ばれた。また画面の色調から新派が陰影に紫色を用いたことから紫派と称されたことに対して旧派は暗い褐色調の画面から脂派（やには）と称された。ヨーロッパから帰国した吉田博、丸山晩霞らが推進力となり、明治美術会は明治35年に太平洋画会として蘇生を図った。そこにフランスでジャン・ポール・ローランスに師事した鹿子木孟郎、中村不折が加わって白馬会に対抗する在野勢力となった。ローランスはフランスの正統派アカデミズムの画家である。力強いデッサン力で細部まで迫真性を追求し、歴史を画材とした。

鹿子木孟郎は黒田清輝に強い対抗意識を持っていた。太平洋画会の画家たちは鹿子木の紹介もあってローランスに続々と師事した。一方、白馬会の画家たちはコランに師事する流れにあった。両会ともに写実を基本としながらも、太平洋画会は描く対象そのものを写し取る客観性を尊び、対象の実体に迫ろうとし、白馬会は対象は観るときによって異なる様相を呈する、光の当たり方によって対象は異なって見えるとする描き手の主観を尊重する、という美術表現に対する考え方の相違があった。

太平洋画会の重鎮であった丸山晩霞と中村不折をみる。

丸山晩霞は慶応3年（1867年）に現在の東御市で蚕種業を営む農家の次男に生まれた。生まれた集落の北に湯ノ丸高原が控える。幼少時から高原の景色に親しんできた。シャクナゲやリンドウが群生をなして咲き乱れる。湿原に愛らしい高山植物が花を開かせる。それらの美しさに心を震わせていたであろう。

父は仕事で横浜と往復していた。土産の錦絵に興味を示した。13歳の頃から画家を志し、菊池契月、町田曲江らも学ぶことになる山ノ内町の南画家・児玉果亭に師事した。18歳で上京して洋画を学び、翌年地元の祢津小学校で代用教員を務めた。再び上京して洋画を学ぶが帰郷して家業を手伝った。

晩霞は群馬県沼田を蚕種販売をしながら風景写生をして歩いていた。利根川を写生していた吉田博に遭遇した。その水彩画に感嘆する。その写実的技法に魅せられたためである。晩霞は話し掛け、その夜は同宿して画談で明かした。明治美術会に入り、多数の水彩画を出品。三宅克己を唸らせ、彼の勧めで欧米に渡航した。同行した鹿子木孟郎、満谷国四郎らとボストンで日本人水彩画家6人展を開催して大成功を収めた。帰国後は太平洋画会創立に参加。明治30年代は水彩画が国民の間に急速に広がった。欧米化政策が国民の間に浸透してきたひとつの証しである。太平洋画会は水彩画をお家芸としていた。晩霞は日本各地を講習会や指導で回り、水彩画の普及に貢献した。「1　音楽の世界」で登場した、「赤とんぼ」などの作曲家草川信も彼に水彩画を習った。三宅克己の後任として小諸義塾の図画教師に就いた。小諸義塾は東御市の隣町、現小諸市に牧師・木村熊二によって開校した私立学校である。英語教師には島崎藤村が赴任した。日本水彩画会と日本山岳画協会の創立にも名を連ねた。この二つの協会の名称は晩霞その人を表している。山岳、高山植物を画題にした作品が多い。高山植物の絵は彼の独壇場である。自ら田園画家と称して主に風景画を描いた。愛してやまなかった地元の風景を表現するのに水彩画が一番適していたのであろう。

中村不折は慶応2年（1866年）に江戸京橋に生まれた。明治維新の混乱を避けて一家は父の郷里の高遠に帰った。幼少より物の形を写すことを楽しみとし、地面に絵や字を書いたりして一日飽くことがなかったようである。小学校を終えた後、呉服屋、菓子屋で働くが、商人になるのは嫌で学問か芸術方面に進みたいと早朝に起きて勉強した。19歳のときに、小学校の代用教員に採用され、また真壁雲卿に南画を、白鳥拙庵に書を学んだ。22歳のときに夏休みを利用して長野にいる河野次郎（通勢の父）に洋画を習った。河野は彼に東京に出て絵を学ぶことを勧めた。教員で貯めたお金で上京し、後に大蔵大臣になる高橋是清の館の空き部屋三畳一間で自炊生活をしながら、小山正太郎の不同舎に入門した。同門の後輩に彫刻家となる荻原守衛がいた。彼を通じて中村屋の創業者である相馬夫婦とも面識を持つ。新聞社に入社して新聞の挿絵を担当、そのときに俳人の正岡子規と知り合い、親しくなる。正岡子規は俳句の革新を行うが、革新の核である写生の概念は不折から学んだ。

36歳で渡仏。初めコランに、続いて私立美術学校のアカデミー・ジュリアンの教師であるローランスに学ぶ。ローランスは彼に「線を強く描くことを強調して指導した」[※8]。ローランスは生徒の特性をよく把握したという。不折は柔らかく描くよりも、強く描かせた方が彼の長所を活かせるとみた。また、画家個人の社会主張が盛り込まれる作品を制作することが画家の務めと教えた。帰国後、力強い線とはっきりした明暗で立体を男性的に描き切る描写力の優れた気鋭の新進画家と注目され、太平洋画会に参加して歴史画、理想画を多く描いた。歴史画、理想画を多く描いたのはローランスの教えのとおり、日本人としての自分、自分の属する日本国家を常に意識していたためであった。

不折は書家、書の収集家としても知られる。不折の筆跡は新宿中村屋の商品、諏訪の宮坂醸造の清酒「真澄」の表記に今も用いられている。台東区の自宅跡に書道博物館（現在は台東区立）を開館した。書の収集は正岡子規と日清戦争に従軍したときに中国の書を手にしたのがきっかけである。

□関連ミュージアム　丸山晩霞：丸山晩霞記念館（東御市）、中村不折：台東区立書道博物館（東京都台東区）。

4 近代日本彫刻の確立と荻原守衛たち

絵画の近代化はドラマチックに展開した。洋画は川上冬崖らが西洋画法を苦心惨憺して導入して発展、一旦は国粋主義の反動的動きによりその道を閉ざされたが、黒田清輝の帰国によりヨーロッパ絵画の新潮流を組み入れていった。黒田清輝と異なる画風を主張する画家たちは太平洋画会を立ち上げた。日本画は改革派の岡倉天心がその急進性のため東京美術学校を追われ、菱田春草らの革新画は当初は世間から理解を得られなかったが、近代日本画の確立を果たした。伝統的な日本画を継承する画家たちは春草らの活動に影響を受けながら徐々に近代化する精神をその画面に反映していった。

立体芸術の彫刻はどうであったか。その近代化確立には絵画より時間を要した。彫刻は彫り物として工芸品と分離しにくかった面があった。明治6年、ウィーン万国博覧会で日本の工芸品が好評を博すと、工芸は輸出振興の見地から注目される。根付や象牙彫は異常なほど隆盛する。象牙彫は島村俊明らが活躍して「象牙にあらざれば彫刻にあらず[※9]」といわれたほどであった。

彫刻の近代化も西洋技術の導入から始まる。それは、明治9年に開校した工部美術学校の彫刻学科でイタリアから招聘されたラグーザの指導である。ラグーザは彫塑を生徒に熱心に教えた。それまで日本では西洋彫刻はどんなものか全く知られていなかった。この点でも絵画の近代化の出発より時間的に遅れている。生徒には「大村益次郎像」で銅像彫刻に先鞭をつけた大熊氏広らがいた。

工部美術学校の廃校と内国絵画共進会での洋風排除により、彫刻の西欧化も一旦停止する。明治22年に開校した東京美術学校の彫刻科は木彫りが採用された。高村光雲らの従来の職人的な技術を持った木彫家たちが教師に迎えられた。高村光雲は写実的な木彫りを行った。「老猿」が代表作である。大きな細工ものという感じである。朝倉文夫は制作対象そのものに迫る写実的な彫刻を制作したが、対象物や作家の精神まで浮き彫りにすることはしなかった。頑ななまでに外形描写に徹した。

明治4年（1871年）、長野市に生まれた**北村四海**は宮彫師の父に従って野沢温泉村、飯山市の寺仕事に参加した。野沢温泉村、飯山市は新潟県と境を接する長野県の北東にある。新潟県と接する同じ地域にある木島村の寺の世話人の勧めで東京美術学校に入学するが授業が木彫りしかなく帰郷。再上京して島村俊明に象牙細工を学ぶ。地元に戻り、日本美術協会展に木彫りの神武天皇像を出品。それが安田財閥の創業者である安田善次郎の目にとまり、買い上げられた。それにとどまらず、四海は安田善次郎から彫刻活動を全面的に支援を受ける幸運に恵まれた。安田家の敷地内の住居を借りて制作に没頭した。３度目の東京生活である。解剖学を学びながら、大理石彫刻に挑戦を始めた。フランス留学後は大理石彫刻の先駆者として活躍した。「女性立像」、「イブ」らが代表作である。恩人の安田善次郎のブロンズ小像は安田家関係者に配られた。

彫刻家・高村光太郎は日本近代彫刻界の歩みを次のように論断した。「明治に於ける彫刻の先達として東京美術学校に教鞭を執っていた彫刻家が悉く徳川末期の伝習に養われた職人であったことも其後の日本彫刻界に大きな影響を与えたに違いない。彼らは皆生粋の一流職人であった。（略）その作るところの彫刻は、彫刻というよりもむしろ細工物という観念に近く、（略）師匠の流儀を一番よくのみ込んだものが所謂高弟として遇せられた。（略）一方工部大学の外人彫刻家等の薫陶を受けた西洋風彫刻家の一団は西洋風建築装飾や、銅像製作の請負師のような風習を作ってしまい」と述べ、「現代日本の彫刻は真実の意味では荻原守衛からはじまったと言ってもいいのである。しかし、彼は十分な力量を発揮するよりさきに惜しくも夭逝した。[※10]」と。

荻原守衛は安曇野の東穂高村（現安曇野市）で農家の男ばかりの五人兄弟の末っ子として明治12年（1879年）に生まれた。安曇野は長野県の中央よりやや北西寄りに位置する盆地である。松本平と呼ばれる。松本盆地のことである。西に北アルプスが聳える。冬は真っ白に化粧する。その姿は神々しい。夏でも頂のいくつかに白い筋を残す。安曇野にはそこから長い年月を経て濾された清水が湧き、ワサビ畑を洗う。風光明媚な安曇野を訪れる観光客は絶えない。田園のなかに碌山美術館が建つ。碌山は日本のロダンと讃えられた荻原守衛の雅号である。守衛の作品を羅列している美術館は蔦が絡まる教会風建築で安曇野観光のシンボルのひとつとなっている。美術館が観光地の中核に座るところは北斎館がある長野県小布施、大原美術館がある岡山県倉敷美観地区がある。それらは町づくりの中心となっているが、碌山美術館は安曇野の田園風景のなかにぽつんと佇む。

守衛は末っ子にありがちな負けず嫌いであり、好きな相撲では自分より体の大きな子供を投げつけたりした。その一方、ものごとにこせこせしない性格で誰からも可愛がられた。小学校の時の教師は井口喜源治であった。東穂高村で生まれた井口は松本中学から明治法律学校（現在の明治大学）で学んだ。守衛は進取の精神に富む井口を尊敬し、小学校卒業後もその恩師の下を訪ね、新しい社会の動きを学んだ。井口は相馬愛蔵と親しかった。井口と相馬は同じ村で生まれた同期で小学校は別であったが、共に松本中学に進んだ。相馬は東京専門学校（現在の早稲田大学）に進む。その在学中からキリスト教の考え方に感化され、卒業後は北海道に渡って禁酒運動に没頭した。キリスト教という宗教に心酔したわけではなく、その勤勉、勤労を尊び、社会全般に貢献する考え方に魅せられた。マックス・ウェーバーは『プロテスタンティズムの倫理と資本主義の精神』でキリスト教プロテスタントの勤勉な精神が資本主義を作り上げたと説いている。相馬は家の事情で1年で帰郷し、養蚕に従事した。村に帰るや、東穂高禁酒会を結成して日本社会の健全な発展を期した。井口が東穂高禁酒会に入会すると、守衛もすぐにそれに倣った。後年、守衛はしばしば「彫刻に失敗したら田舎で百姓をやるさ」[※11]と言っていたが、井口や相馬と交わることで勤労が神聖であることをプロテスタントの精神から身に付けていたのであろう。17歳のとき、心臓を患う。その後、1年余り過激な労働ができなかった。守衛は井口を訪問することが増え、内省することが多くなった。相馬は仙台出身の黒光（こっこう）と結婚する。目の瞳が大きな美人であった。黒光は明治女学校を卒業した。明治女学校は後に小諸義塾を開校する牧師木村熊二が始めた女子教育の先駆けとなったミッションスクールである。作家になった樋口一葉、野上弥生子らがここで学んだ。黒光の上級生斎藤冬子は教師をしていた妻子ある北村透谷と熱烈な恋愛をして破綻した。北村透谷はこの恋のために25歳で自殺する。また、黒光の従妹佐々城信子は作家国木田独歩との恋愛に破れた。国木田独歩の『欺かざるの記』は彼女との恋愛日記である。有島武郎の『或る女』は彼女を主人公にした小説である。黒光は身近に恋愛悲劇を見た。東穂高村に嫁いだ彼女は写生をしている守衛に出逢う。守衛は戸外に出てよく写生をしていた。黒光は「絵が好きというよりも私は芸術に従う人の敬虔さと熱情と努力に深い浪漫的な歓喜をみいだすのであった[※12]」と自分と似た趣向を持つ守衛に親近感を覚えたことを語っている。守衛は彼女と接するようになる。相馬家に寄る。東穂高村では珍しい洋間に油絵が掛けられていた。この絵の詩情性と迫真性に感心した。この絵によって画家になることへの関心が湧いた。守衛は彼女から西欧文学、美術を幅広く教えてもらった。井口は自身の理想的教育を実践するために私塾、研成義塾を創立した。相馬は養蚕の改良に励んだ。守衛も彼らに啓発されて自分も社会的に活躍できる人物になりたいと上京を切望するようになった。彼の父は帽子材料の麦藁販売もしていた。体の弱い守衛を膝元に置いて後を継がせたいと考えていた。守衛は機業家になろうと、家出した。当時はまだ鉄道は松本地区には敷かれていなく、保福寺峠を歩いて越えて上田に出た。しかし、家出に気づいた父が追ってきて失敗に終わる。井口、相馬夫妻との交流を通して本も多く読み、ますます精神的活動への欲求が高まった。進路は宗教家か芸術家かは定まっていなかったが、東京に出たかった。父は末っ子の熱意に負けた。

明治29年（１８９６年）東京に出た後の住居は相馬から紹介された巖本善治が明治女学校の一角を提供してくれた。巌本は明治女学校創立の発起人のひとりであり、黒光の命名者である。黒光の本名は良といった。才気奔る良を諌める意味で名付けた。男女7歳にして席を同じゅうせずの気風が残る明治時代に女学校構内に住むことは異様であった。女学生とも友達になり、女学校の教師たちとも知り合った。英語教師であった青柳有美から英語を教えてもらった。誰からも愛される幼少時からの性格が当時としても異様な環境の中での生活を問題を起こすことなく運ばせたのかもしれない。童顔の守衛に心を寄せる女生徒も少なくなかったであろう。守衛はここから小山正太郎の不同舎に通った。不同舎には同郷の中村不折がいた。

　上京後2年して渡米する。デッサンを繰り返し、人間を描き続けた。守衛の口癖は「What is art?」であった。安曇野での生活を通して真実とは何かを求めるようになっていた。芸術を職業選択に選んだ後は芸術とは何かを考え続けた。フランスを訪れた折、オーギュスト・ロダンの彫刻「考える人」に出逢う。ロダンは近代彫刻の父と称され、欧米のみならず日本の芸術家たちにも大きな影響を与えた人物である。人間を描くことはその姿を写し取ることではなく、魂そのものを描くことだと気づかされる。守衛はそれまで美術のジャンルを選ぶのに迷っていた。絵画か彫刻かと。彫刻家になることを決心した。明治39年、渡米して5年後、フランスに渡る。中村不折の紹介もあってアカデミー・ジュリアンで学ぶ。1年に満たないパリでの生活であったが、「坑夫」など二十数点を制作した。

　明治41年帰国。相馬夫妻は新宿で洋菓子店を開いていた。新宿中村屋である。夫妻の厚意でその近くにアトリエを構え、再び夫妻との交流が始まった。守衛は夫妻の子供のお守りもした。守衛は安曇野時代に好意を抱いていた黒光に恋をする。彼女から悩みを打ち明けられる。愛蔵の浮気である。守衛は駆け落ちを考えた。「文覚」を作る。文覚は鎌倉時代の武士で人妻に恋をし、その夫を殺害しようとしたが誤って人妻を殺してしまい、出家した人物である。許されない恋に苦悶する自分を文覚に投影しようとしたのか。開催されて間もない第二回文展に「坑夫」、「文覚」を出品した。彫刻に思想があることが理解されなかった。第三回文展には「北条虎吉像」、「労働者」を出した。評価は芳しくなかった。黒光は第二子を孕む。生まれた次男は病にかかり、亡くなる。黒光への思いをぶつけるように「**女**」を制作する。後ろ手に跪きつつも体を捩じりながら伸び上がろうとする塑像は絶望の中で何かを希求する意思が息苦しいまでに伝わってくる。夫の裏切りを憎み、苦しむ。子を産み、亡くなって悲しむ。それでも天を向いてそれらを克服して生きようとする。黒光の生きることへの強い意志である。あくまでも守衛の創作品である。黒光は作品を見て「棒立ちになって、足がすくんでしまった」[※13]という。**対象物を写実的に造形しただけでなく、対象物にその精神を内包した。**守衛は日本彫刻の代表として仏像を認識していた。特性は静と見なした。そこに動を導入した。ひとつの姿勢から他の姿勢に移動することを暗示させることで静止している塑像に「運動」を与えた。跪きから立ち上がろうとすることによってである。この運動表現はロダンからヒントを得たのであろう。近代精神は人間

荻原守衛「女」

重要文化財　東京国立博物館蔵

ひとりひとりの「個」がその存在証明であるとする。**作者の創作精神を造形にした。**日本近代彫刻の確立である。と同時に日本近代彫刻史上最高傑作と謳われる。彫刻に関わって4年、帰国後2年目であった。その数カ月後、夭逝する。30歳であった。まるで菱田春草が死の直前に僅か5日で近代日本画で最も有名な作品「黒き猫」を完成させたのを彷彿させる。死後、「女」は文部省に買い上げられ、近代彫刻として初めて重要文化財に指定された。

作家・臼井吉見は小説『安曇野』で守衛の死因を各登場人物に述べさせた。『安曇野』は守衛、相馬夫妻、井口など安曇野にゆかりの人物群像を描いた歴史小説である。高村光太郎は黒光が梅毒を感染させたと彼女を非難した。女性雑誌記者は反論する。守衛が黒光と肉体関係があったら、彼は死ななかったと。守衛の思いはプラトニックだったと。黒光は男嫌いであったから。臼井吉見は自殺説も取り上げて結論は肺炎であったろうと結ぶ。以上はもちろん小説の話である。

黒光は思春期のころ先に書いた恋愛悲劇を目の当たりにしている。恋愛にのめり込むことを怖れ、避けていたのではないか。このため相馬愛蔵はほかの女に走り、守衛は彼女への思いを中途半端な状態にしたまま苦しまなければならなかった。臼井吉見は『安曇野』の登場人物である女性雑誌記者に黒光が守衛の求愛をはねつければよかったと言わせている。[※14]そうすれば守衛の悩みは少なかったであろう。

守衛は独自の創作精神をなぜ形に表せたのか。彼を彫刻の道に進むことを決定づけたロダンは多くの日本の芸術家たちに影響を与えた。だが、守衛以外誰もがロダンの作品の模倣の域から出ることができなかった。守衛は安曇野時代からの井口、相馬夫妻との交流と安曇野の自然からプロテスタントの精神を基盤にした近代精神を体得していたためと思う。日本文学研究者のドナルド・キーンは明治期「欧米の文学に触れた結果、日本の近代文学に明確な影響となって表れたのは『恋愛』の発見であった[※15]」と言う。守衛の黒光に対するプラトニックラブが彼の近代精神を確実に植え付けた。安曇野での生活、黒光への恋、ロダンへの共鳴が日本近代彫刻を確立できた要因であろう。

戸張孤雁は守衛の死の直前に彼を見舞ったが、彼の死によって本格的に彫刻の道に入った。中原悌二郎は彼の死を契機に彫刻に転じた。高村光雲の子である光太郎は守衛の後を受けてロダンの造形精神を紹介し、普及させるべくロダン論を文筆で積極的に展開した。守衛が確立した日本の近代彫刻の創作精神は彼らによって受け継がれていく。

インターネットで見つけた面白い記事を荻原守衛の最後の項として取り上げる。「臼井吉見の『安曇野』を歩く74[※16]」からである。文章は要約した。

「守衛が明治女学校の一角で生活しているときの友人片岡當(まさ)は、彼の死を新聞で知って日記に新聞記事を貼り付け、『人を逃れて泣きに行った』と記した。当時、彼女は出身地岡山の高等女学校で教職に就いていた。守衛がアメリカにいるとき『美術で身を立てよ』と励ましの手紙を送ってもいる。そして『君よ、成る事なれば我は君に代わりて他界に行きしものを』とまで日記に書いている。そして、1カ月喪に服し、上京して黒光に会って守衛の最期の様子を聞いた。そして、守衛が渡米前に登った富士山に登り、そのまま安曇野の守衛の墓前に向かった。教職を去り、朝鮮に渡った。そこで農林専門学校の日本人教師と結婚した。」

守衛を愛した女性である。守衛は童顔であり、誰からも親しまれる性格で彼を慕う女性は多かったのではと思う。

守衛より5歳年下の**川村吾蔵**は制作対象を理想的な造形物として制作するスタイルを選んだ。臼田町（現佐久市）で生まれ、遠縁の丸山晩霞の影響で芸術家を志し、渡米して彫刻を学ぶ。その後、フランスで勉強しているときにロダンから助手の勧誘を受けるが断り、アメリカ人彫刻家フレデリック・マクモニスの助手となった。ニューヨークで彼と数々のモニュメントを制作する。ミネソタ州の酪農家から理想的な体形の乳牛像を作ることを依頼される。６年の歳月を費やして動物学者とともにアメリカだけでなくカナダ、メキシコの農場にも出かけて乳牛の体形を研究する。乳牛の生態を克明に表現した作品はアメリカ酪農界で称賛された。彼は「牛のＧＯＺＯ」と呼ばれるようになった。ホワイトハウスからはカルヴィン・クーリッジ大統領の胸像の依頼を受け、昭和14年（１９３９年）のニューヨーク万国博覧会では日本館入口を飾るレリーフ「天女の舞」を制作した。翌年帰国するが太平洋戦争が始まり、故郷の臼田に疎開して農業を営んだ。戦後、軽井沢で進駐軍の通訳をしているときに「牛のＧＯＺＯ」であることが分かり、横須賀基地美術最高顧問として横須賀に招かれてアトリエを与えられた。進駐軍首脳の胸像を多数制作。マッカーサー元帥から胸像を依頼されたが未完成のまま昭和25年、胃癌により66歳で亡くなった。国際的彫刻家であるが、日本での知名度は低い。

□関連ミュージアム　荻原守衛：碌山美術館（安曇野市）、川村吾蔵：川村吾蔵記念館（佐久市）。

1～4の注記

※1　『原色日本の美術　第31巻　近代の洋画』高階秀爾　小学館　昭和46年12月10日初版発行、昭和60年4月10日改訂第8刷発行　１６８、１６９頁

※2 『日本美術の歴史』辻惟雄　東京大学出版会　２００５年12月5日初版　３４２、３４３頁

※3 『ミカドの肖像』猪瀬直樹　小学館　２００５年4月1日初版第1刷発行、４月20日第2刷発行　７６６、７６７頁

※4 インターネット「天才と呼ばれた日本画家」松原洋一

※5 インターネット　フリー百科事典ウィキペディア「菱田春草」

※6 インターネット「天才と呼ばれた日本画家」松原洋一

※7 『日本の近代美術５　京都の日本画』平野重光編　大月書店　１９９４年3月18日第1刷発行　96頁

※8 「アカデミー・ジュリアンから伝播されたフランス美術教育：ローランスに師事した中村不折の場合を例に」南出みゆき『美学芸術学論集』６：38－58頁　２０１０年3月

※9 『日本の近代美術５　京都の日本画』８頁

※10 インターネット「荻原守衛（上）―その生涯と芸術―」中村傳三郎

※11 インターネット「荻原守衛（上）―その生涯と芸術―」中村傳三郎

※12 インターネット「荻原守衛（上）―その生涯と芸術―」中村傳三郎

※13 『安曇野　第二部』臼井吉見　筑摩書房　昭和45年11月30日第1刷発行、昭和52年6月30日第11刷発行版　４９３頁

※14 『安曇野　第二部』４９５頁

※15 『日本文学の歴史10』ドナルド・キーン　中央公論社　１９９５年11月20日初版発行　14頁

※16 インターネット「臼井吉見の『安曇野』を歩く74」赤羽康男

1～4の参考文献

『原色日本の美術　第31巻　近代の洋画』高階秀爾　小学館　昭和46年12月10日初版発行、昭和60年4月10日改訂第8刷発行
インターネット　フリー百科事典ウィキペディア　各該当人物
『ヘンな日本美術史』山口晃　祥伝社　平成24年11月発行
『日本美術の歴史』辻惟雄　東京大学出版会　2005年12月5日初版
『ミカドの肖像』猪瀬直樹　小学館　2005年4月1日初版第1刷発行、4月20日第2刷発行
インターネット「佐久の先人たち㉔　明治の先端を生きた石板画家岡村政子」小山雅比古
インターネット「天才と呼ばれた日本画家」松原洋一
『日本の近代美術2　日本画の誕生』佐藤道信編　大月書店　1993年6月9日第1刷発行
インターネット「西郷孤月　天才と呼ばれた幻の画家」北岡技芳堂
『日本の近代美術5　京都の日本画』平野重光編　大月書店　1994年3月18日第1刷発行
インターネット　美術人名辞典「町田曲江」
インターネット　丸山晩霞記念館ホームページ
インターネット　新宿中村屋ホームページ「創業者ゆかりの人々　中村不折」
「アカデミー・ジュリアンから伝播されたフランス美術教育：ローランスに師事した中村不折の場合を例に」南出みゆき『美学芸術学論集』6：38－58頁　2010年3月
『日本の近代美術11　近代の彫刻』酒井忠康編　大月書店　1994年4月20日第1刷発行

インターネット「北信濃寺社彫刻と宮彫師」
インターネット「新収蔵作品　武石弘三郎《裸婦浮彫》、北村四海《女性立像》について」伊澤朋美（新潟県立近代美術館　美術学芸員）
インターネット「荻原守衛（上）―その生涯と芸術―」中村傳三郎
インターネット「荻原守衛（中）―その生涯と芸術―」中村傳三郎
『安曇野　第二部』臼井吉見　筑摩書房　昭和45年11月30日第1刷発行、昭和52年6月30日第11刷発行版
『日本文学の歴史10』ドナルド・キーン　中央公論社　1995年11月20日初版発行
インターネット「臼井吉見の『安曇野』を歩く74」赤羽康男

5 日本近代版画の開始と山本鼎たち

ヨーロッパ美術界に影響を与えた浮世絵（錦絵）は幕末には衰退しながらも、明治維新以降は近代化する日本の風景を描いて横浜浮世絵と呼ばれた。石版印刷は万延元年（1860年）に渡来していた。明治7年（1874年）に日本画家の手による風景画集『東京近傍写景法範』が刷られた。これは陸軍参謀局の士官学校の教科書として、すでに述べた近代洋画の父である川上冬崖らが辛苦のうえ制作した。銅版も幕末には輸入されて

いた。先述した現佐久市出身の岡村政子らが訳本の挿絵を描いた。木版、石版、銅版は印刷技術として普及した。

明治37年（1904年）、雑誌『明星』に木版2色刷りの「**漁夫**」が載る。石井柏亭はその雑誌に「刀はすなわち筆なり(※1)」と解説した。**印刷物の用途でなく、非実用的な美術的版画。印刷物として複製的版画でない創作版画の記念碑的第一作**であった。また、それまでの版画は絵師、彫師、摺師の三者による分業で行われていた。それをひとりで行った。その作品は漁師の生活感を滲ませたまさに芸術的版画であった。従来の版画とは用途、制作工程、作風が異なるこの画期的な作品によって日本の近代版画の扉が開かれた。その創作者は東京美術学校の学生、山本鼎であった。「版画」は彼の命名という。

山本鼎は明治15年（1882年）に愛知県岡崎市で漢方医の長男として生まれた。父が医師資格取得に必要な西洋医学を学ぶために一家は東京の浅草区山谷町に移住。鼎は木版工房で住み込み徒弟となって版画職人の道を歩み始めた。鼎が16歳のとき、父が神川村（現上田市）で医院を開業し、一家はそこに引っ越した。鼎は山谷にいて版画工房の9年間の年季奉公を終えた。18歳であった。鼎は木版画が単なる複製手段と化し、その役割すら写真に奪われようとしている現実に版画職人として切実な危機感を覚えた。写真はその

山本鼎「漁夫」

上田市立美術館所蔵

技術が日に日に進歩し、世間で普及していた。東京美術学校に進学。版画が生き残る道を探り始めた。ひとりで版画を制作する自画自刻自摺を行っているヨーロッパの版画界に答えを求めた。筆を彫刻刀に代えて力強い彫跡の線による骨太の作品を表した。それが千葉県銚子の漁師を題材にした「漁夫」であった。従来の複製を目的とする版画にない新鮮さを示し、新進気鋭の版画家として注目される。鼎は版画を絵画、彫刻と同等の芸術の一分野にしようとしていた。東京美術学校を卒業後、石井柏亭らと美術文芸雑誌『方寸』を創刊して、その創作拠点とした。

明治45年、石井柏亭の妹光子との結婚を石井家から拒否されたことをきっかけにパリへ渡る。4年後の大正5年、ロシア経由で帰国する。モスクワで農民美術蒐集館、児童創造展覧会に足を運んだ。北原白秋と懇意な青年と会い、白秋の妹家子との縁談を勧められた。帰国した翌年に二人は結婚する。

大正7年に日本創作版画協会を戸張孤雁らと設立。日本画、洋画と並ぶ版画の独自性を主張し、現在に至る創作版画の隆盛をもたらすことに貢献した。同年、神川小学校（現上田市）で「児童自由画の奨励」の講演を行う。これを契機に、手本の模写が中心であった図画教育の改革を強く訴え、子供に自由に絵を描かせる自由画教育運動の推進役となった。美術教育は美的情操、美的創造力を養うものだとその目的を説き、それには手本の模写ではなく自然を相手に自由に描かせることだと主張した。自然とは山河、海だけでなく人間、人工の構築物と自身の体外にあるもの全てを指していたと思う。「1　音楽の世界」で書いた、大正期に唱歌に対する批判として童謡運動が起こったことと似ている。共に大人たちが作ったものをただ単に真似をするのではなく、精神が自律的に活動することが大切であると唱えた。彼は、子供たちが色彩表現をするのに安価な描画材料を求め、面識のあった現在のサクラクレパスの社長にその開発の相談をした。生まれたのがクレパスであった。大正期、長野県では自由教育、個性教育尊重気風があり、長野県下では自由画教育はまたたく間に広まり、そして全国の教育現場で迎えられた。

また大正8年に農民美術練習所を神川小学校の教室を借用して開校し、日本で初めての農民美術運動を開始した。農閑期に副業を兼ねて農民文化を高めようとした。翌年、東京日本橋の三越本店で展示即売会を開催し、出品作は完売と盛況であった。土の香りが都会人の目を捕らえたためといわれる。昭和初期には農民美術は長野県各地のほか、東京、神奈川の関東圏、京都、福岡、熊本の九州圏で生産されるようになった。現在、全国各地で様々な民芸品が作られているが、多くがこの農民美術運動に影響を受けたものである。

農民美術発祥の地である上田市では現在、三代目**中村実**などが専業として制作を行っている。公民館の文化活動や民間で木彫教室が複数開かれ、多くの市民が彫刻刀を趣味として握り、木彫り、彫刻を日常的なものとして制作している。

鼎は版画家としてよりも、美術運動家としての面が強い。自由画教育運動と農民美術運動の推進に当たり、その指導、講演に動き回り、それらの意義について雑誌での論争に忙殺されていた。自身の作品制作に没頭できる時間が少なく、注ぎ込むエネルギーも奪われていたのであろう。大正デモクラシーを代表する人物であるといわれる。日本のゴッホと呼ばれる村山槐多は従弟である。

日本美術の近代化で、洋画は川上冬崖がその扉を開き、日本画と彫刻は菱田春草と荻原守衛が確立した。そして版画は山本鼎が始めた。４ジャンルとも信州ゆかりの芸術家たちが推進したことは興味深い。


山本鼎が始めた創作版画は大正期から昭和初期にかけて大きく開花する。彫刻刀は手にしやすいこともあり、画家たちが絵画制作の傍らで手掛けたり、アマチュアの同好会、同人誌が全国各地で作られ、展覧会が催された。日本創作版画協会の機関誌的存在の『詩と版画』を始め版画誌ブームが大正時代に起こり、版画の普及を促した。

日本創作版画協会に参加した**山口進**は明治30年（１８９７年）に伊那谷の箕輪町に生まれ、郵便局で働きながら独学で絵を描いた。20代で上京して白馬会葵橋洋画研究所に学び、黒田清輝、この後登場する中川紀元らに師事した。洋画、版画を制作し、昭和20年、絵を教えていた第一高等学校を退職して伊那谷に帰り、制作に専念した。滲んだ作風の版画を制作。題材は信州の山岳を多く取り上げ、代表作に「木曾駒ケ岳馬の背」がある。

須坂市に明治31年に生まれた**小林朝治**は金沢医科大学の在学中から油彩画を描いていた。山男シリーズで有名な畦地梅太郎の版画と出会って影響を受け、眼科医の傍ら油彩画、版画を制作する。その畦地の出身地の愛媛県宇和島市の吉田病院の初代眼科医長として赴任し、4年半勤務した。宇和島市吉田の近代文化創造者の一人と称えられている。須坂に帰郷して眼科医を開業。各地で版画を教えていた平塚運一を招き、地元で講習会を行い、自身も骨太で躍動感のある風景作品を残した。41歳で若くして亡くなったのが惜しまれる。朝治が平塚運一はじめ全国の版画家たちとの交流により蒐集した版画を展示する須坂版画美術館が平成4年に開館した。

□関連ミュージアム　山本鼎：上田市立美術館（上田市）、小林朝治：須坂版画美術館（須坂市）。

6 上田彫塑研究会

大正時代は音楽では童謡運動が起き、美術では自由画教育運動が起きたように明治に開始されたそれぞれの初等中等教育の方法に異議が申し立てられた時代であった。美術のうち彫刻においても粘土細工から彫塑教育への転換期にあった。工芸の手と目を訓練することから美的感動を養う教育へと。現在も継続されている特筆すべき講習会が上田で大正13年（1924年）に始まった。現在の**上田彫塑研究会**である。

小学校令改訂により、大正15年から手工業が必須科目となることになった。小県上田教育会はその準備として教師たちにその教授法を学ぶ粘土の講習会を企画した。講師推薦を洋画家の倉田白羊に頼んだ。白羊は山本鼎が運動を始めた農民美術の拠点である農民美術研究所の副所長として鼎に招かれて上田でアトリエを構えていた。白羊は上田を終生の住処にした。彼は石井鶴三を推薦。石井鶴三は荻原守衛の「文覚」の作品に啓発されて本格的に彫刻の道に入った彫刻家である。鶴三の兄石井柏亭は鼎と美術誌『方寸』を共に発刊した仲間であり、鼎は石井家に東京美術学校時代に間借りしていたため、鶴三は鼎をよく知っていた。鼎と一緒に浅間山登山もした。鼎の自由画教育運動を理解しており、申し出を引き受けた。

ただ、鶴三は彫刻の勉強会として受けた。所属していた日本美術院の院則を講習生に事前に配布してそのスタイルで行うことを公言した。院則は「自由研究を主とす。故に教師なし、先輩あり、教習なし、研修あり[※2]」を掲げている。講習は5日間の日程で行われ、女性モデルを用いて頭部の彫塑制作を各自が自主制作するという本格的彫塑講習が「道場のようなふんい気[※3]」で緊迫した中で行われた。鶴三は「婦人像」を制作した。講習生からは「あれは専門家のやることで手工には関係ない。小学校の先生の勉強としては不適当だ[※4]」と粘土講習会を期待した多くの講習生から不満の声が上がった。小県上田教育会も本格的過ぎると、この年のみで終わりにした。

鶴三は「やるからには本格的でなければならない。（略）真剣にやるという人が一人でもあれば私は一緒にやる[※5]」と後に回想したその姿勢に感銘した有志により上小彫塑研究会と名前を変えて、同スタイルで講習を継続した（昭和36年に上田彫塑研究会と名前を変えた）。鶴三は戦争敗戦間際の昭和20年を除き、昭和45年までの約半世紀の間、毎夏上田を訪れて講師をした。講習会で研鑽を積み、鶴三の思想を理解した講習生たちはその後の長野県の美術教育を主導した。鶴三を招いた彫塑講習会などが伊那、長野、木曽でも開催された。

鶴三の思想は何であったか。鶴三は子供のころ飼っていた馬の体の凹凸に魅せられた。自然が生み出した造形への畏怖と感動。これを感じ取り、それを形に表現することが彫刻であると伝えた。彼はそれを「立体感動」と呼ぶ。美を感じ取る感性を養うことが美術教育であり、人間教育であると主張した。長野市での講習会に参加した当時中学生であった池田満寿夫は「〝芸術は感動なり〟の教訓はずっと私の中で生き続けてきた[※6]」と語っている。

鶴三はこの講習会で「婦人像」のほか「信濃男坐像」を制作した。「信濃男坐像」は厳しい信州の自然の中で農業を営む男の真一文字に生きる姿が迫真的に表れている。

□関連ミュージアム　石井鶴三：小県上田教育会館（上田市）。

7 大正から昭和前半（第二次世界大戦前）に主に活躍した芸術家たち

明治も後半になると、美術界は西洋化の激震も落ち着きを見せ、明治40年（1907年）に政府主催の文展が開催される。明治美術界の一帰結点となった。第一部が日本画で伝統派と洋画の要素を導入した改革派とが二つの科に分けられた。第二部が洋画、第三部が彫刻であった。

明治中期には、西洋画を伝えたヨーロッパではセザンヌから始まる後期印象派が始まっていた。印象派は描く対象は外光により見え方が変化すると、ものを見るという視覚の立場をとった。ヨーロッパでの近代精神も対象をどのように観察するか、から始まった。観察する対象が主題であった。後期印象派ではセザンヌ、ゴッホのように対象は画家の感情を表す手段となった。主題は対象物から画家の精神に代わった。明治40年前後にはマチスらのフォービスム、ブラックやピカソらのキュビスムが起こった。カンデンスキー、クレーらの「青騎士」グループが結成されて抽象表現も現れた。これらの情報は日本にも間髪を容れず伝わった。フォービスムは描く者の主観尊重を推し進めた。西洋画の基本である遠近法は描く対象の寸法は遠近の距離に応じて比例し、対象物は画面の中で写真を撮ったようにバランスを保っている。その画法の縛りを後期印象派はまだ保っていたが、フォービスムはそれを解放した。色彩、形態を描く者の考えに従わせた。キュビスム、抽象絵画への展開も自然の成り行きであった。対象自体の束縛から離れることを唱えたシュルレアリスム、対象そのものの存在意義を疑うダダイズムも現れた。現代絵画のスタートである。

文展第二部の洋画の審査対象は白馬会と太平洋画会に独占されていた。ヨーロッパの新潮流を受け入れる画家たちは文展の審査に反対して第二部も二科に分けるべきだと運動を起こした。黒田清輝ら主催者側に拒否されると、大正3年（1914年）に民間団体の二科会を設立して独自に二科展を開催した。彼らは白馬会をも旧派と決めつけた。同年、その前年に亡くなった岡倉天心を追慕して横山大観らが院展を再興する。文展も内部批判から大正8年に帝展として再スタートを切る。落ち着いたかにみえた日本美術界は休む間もなく、西洋の新潮流に洗われ、変革していった。

第1回二科展に入選した、大正の鬼才といわれる**河野通勢**は現在の長野市に明治28年（1895年）に生まれた。父河野次郎は近代日本洋画の先駆者である高橋由一に学び、高橋から伊沢修二を紹介されて愛知県の美術教師になった。伊沢修二は「1　音楽の世界」で記載した教育者で近代日本音楽の父である。当時、愛知師範学校の校長をしていた。伊沢が松本師範学校に移ると、河野次郎もそこに転任した。そして長野師範学校に異動して美術教師をしていた。先述した中村不折が夏季休暇を利用して学んだ教師である。ギリシア正教の信徒であり、通勢も9歳のときに洗礼を受けている。ただ、通勢は母からではなく、代理出産によって生を受けた。通勢の子である恒人は「河野通勢ギャラリー」で述べている。(※7) 不道徳によってではなく、祖父母は子供が生まれなく困っていたので祖母も合意のもとで同じ信者にお願いして産んでもらった、と。小学校のときは、「1　音楽の世界」で登場した作曲家・草川信と絵の展覧会を開いたほど絵が好きであった。近くの裾花川で水泳をし、進学した長野中学（現長野高校）では野球部に所属し、主将を務めた。長野中学を卒業して上京するまでは裾花川の写生的な風景画が主であった。上京してからはうねるような筆触に変わる。草と土を細部まで克明に描く岸田劉生に画風の類似を感じ、岸田が催した草土社に参加する。銅版画も数多く手掛けている。長与善郎の戯曲『項羽と劉邦』の挿絵を描き、昭和に入ってからは小説の挿絵で人気画家となる。武者小路実篤の『金色夜叉』の挿絵などを担当した。新聞、小説の挿絵は明治期までは日本画家の独壇場であったが、大正半ばから洋画家もそれに参入するようになっていた。水墨画も多い。通勢は家にある絵画を見て絵を覚え、師には就いていない。通勢の絵は神秘的である。ギリシア正教への信仰と、自身の出生から自身の存在への絶えることのない問い掛けのためと想像する。

横井弘三は飯田市に明治22年（1889年）に生まれ、早稲田大学商学部を中退。絵は独学である。第2回二科展で樗牛賞を受賞した。樗牛賞は期待の新人画家に贈られる新人賞である。第3回二科展では東郷青児、石井鶴三とともに二科賞を受賞。早くから注目を集めた。大正12年（1923年）の関東大震災で被災した子供たちに贈ろうとした「慰問絵画」の出品を拒否されて二科会を離反した。日中戦争、太平洋戦争で画家たちが戦争協力を打ち出そうと開いた集会では異議を唱え、画壇からも離れた。「理想展」と呼ぶ、無審査、自由出品のアンデパンダン展を開催し、自分だけの表現を追い求めた。日本初のアンデパンダン展であった。露店経営、玩具や絵葉書原画制作で暮らし、小間物屋を開き、古本屋を出した。絵を売ることを生業としないで画壇からは異端視されてその存在を忘れられていく。「素朴派」、「稚拙派」を名乗り、「童心画」、「東画」、「怪奇派」と自称した絵は、描く対象を子供が無意識にデフォルメするのと同じように変形させ、寸法も客観的な尺度ではなく自分の尺度に従う。それらは微笑ましくあったり、不気味であったりする。戦後は長野市に移住して地元の支援者に恵まれて精力的に制作活動を行った。長野工業高校で教師の職にも就いた。作品は画壇から離れて個人的に寄贈したものばかりであるため、その作品をまとめてみることができない。画風と日曜画家的であったため、フランスの画家であるアンリ・ルソーと対比されて日本のアンリ・ルソーと呼ばれる。

第2回二科展には**中川紀元**が入選している。明治25年（1892年）に伊那谷の北の入口にある辰野町で生まれた。諏訪中学（現諏訪清陵高校）から東京美術学校彫刻科に入学したが、病気のため中退して一旦帰郷して小学校教師を務めた。再上京して太平洋画会研究所、本郷洋画研究所に通って洋画を学んだ。藤島武二、石井柏亭に師事した。渡欧してフランスの画家マチスに指導を受ける幸運に恵まれた。渡欧中や帰国後の作品は赤黄青の色の組み合わせが簡潔な線のなかで調和して響きあっている。日本のフォービストとして画壇に衝撃をもたらした。第7回二科展で樗牛賞を、第8回は二科賞を受けた。幻想画家の古賀春江とグループアクションを結成、その後は中村岳陵ら日本画家たちと六潮会を結成して日本画に手を染めた。日本画でも色彩が荒々しく躍動している。日本の前衛美術運動の先駆けといわれる萬鉄五郎がキュビスム画風から南画に移行してくのと似ている。

第3回の二科展に入選した**林倭衛**は河野通勢と同年に現在の上田市で製糸工場を営む家に生まれた。父は製糸工場を経営していたが失敗し、倭衛と彼の弟は実家に預けられた。父はそのまま東京に夜逃げする。小学校を卒業してから上京し、書店や印刷会社に勤めたり、道路工夫をしながら日本水彩画研究所の夜間部で絵の勉強を始めた。第4回二科展では樗牛賞を受賞し、第5回では二科賞を「冬の海」で受賞した。第4回二科賞は岸田劉生が、第5回樗牛賞は関根正二が「信仰の悲しみ」でそれぞれ受賞している。幼少の不遇な体験からサンジカリズム研究会に加わり、大杉栄らの無政府主義者と交流するようになった。大正8年（1919年）に第6回二科展に大杉栄をモデルにした「出獄の日のO氏」を出品。警視庁から撤回を命じられて会場から外された。日本が軍国主義に傾斜していくなかで芸術に対して思想問題で国家権力が介入した初の出来事となった。この作品は肖像画として傑出したものと評価が高いが、「日本近代美術史上、最大の汚点となった」[※8]といわれる。大正10年からフランス、ドイツに留学し、セザンヌのアトリエで制作を許された唯一の日本人画家となった。彼の絵はセザンヌの影響を強く受けている。家庭を背負う彼は画商に拘束され、その重圧から精神的に逃げるため酒と女に溺れた。それが祟り健康を害して昭和20年、49歳で埼玉県で永眠した。

作家島崎藤村の次男、**島崎鶏二**は明治40年（１９０７年）に生まれて、岡田謙三とともに二科会の両輪と言われたが、第二次世界大戦に召集されて昭和19年（１９４４年）に従軍先のボルネオ島で戦死し、37歳の若い生涯を閉じた。弟蓊助も画家である。

須山計一は明治38年（１９０５年）、現在の飯田市に生まれ、東京美術学校で藤島武二に学んだ。在学中から文芸誌、新聞にマンガを連載し、昭和初期の社会を風刺した。モダンガール、マルクスボーイなどを取り上げている。プロレタリア美術展に出品し、第二次世界大戦前のプロレタリア美術の代表的画家として活躍し、日本プロレタリア美術家同盟書記長などを務めた。昭和４年に出版された小林多喜二著『蟹工船』初版本の表紙絵、オレンジ色の背景に煙突と重機の黒いシルエットの絵を描いたのは彼である。日が沈み、空はオレンジ色に均一に染まる。明日の希望はなく、ロボットと化した人間が重機を操作し、ものを生産する。人間性剥奪への怒りと虚無を表しているようにみえる。昭和８年

（1933年）に治安維持法違反で検挙、起訴されている。戦争中は親交のあった石井柏亭の野尻湖畔にあった別荘に疎開していた。野尻湖は新潟県との県境にある湖でナウマンゾウの化石が出土される場所である。戦後は一水会に所属して出品した。マンガ評論、マンガ史研究に携わり、生前はマンガ評論の第一人者といわれた。

フランスの詩人アンドレ・ブルトンが「シュルレアリスム宣言」を発表したのは1924年、日本では大正13年である。理性によってどんな統制も受けない思考表現を唱えた。日本でのシュルレアリスムの開始は福沢一郎の作品からとされる。昭和5〜6年のことである。国民生活は大正後半から昭和初期にかけて洋式が普及して近代化が進んだが、昭和4年（1929年）に起こった世界恐慌後の社会不安から都会ではエロ・グロ・ナンセンスの時代が訪れていた。

日本のシュルレアリスムの先駆者といわれる**矢崎博信**は現茅野市に大正3年（1914年）に生まれた。父は製糸工場を経営していたが、博信が子供の頃に倒産している。諏訪中学の絵画部で高橋貞一郎から洋画を学んだ。高橋貞一郎は諏訪中学から長野師範学校を経て母校で教師を務めた。彼の長女の宮原麗子、五男高橋靖夫は画家である。宮原麗子の子、むつ美もスペイン・マドリードを拠点に画家として活動している。博信は昭和4年に設立されたばかりの帝国美術学校（現在の武蔵野美術大学）に昭和8年に入学した。帝国美術学校はその設立参画者に、博信と同郷の美術学者・金原省吾、現在茅野市の隣町である原村出身の彫刻家・清水多嘉示がいて信州人の学校と言われていた。都会での退廃的、享楽的な美術傾向とは一線を画し、シュルレアリスムの手法を取り入れて日常生活の中に潜む社会不安を告発した。昭和11年、在学中に描いた「江東区工場地帯」は美術研究家の辻惟雄が『日本美術の歴史』で印象に刻まれた作品として取り上げている。[※9] 手を差し伸べて助けを求める人々が川面に透け、煙突から死人のような物体が吐き出される。赤く染まった雲までも助けの手を差し伸べている。人間性を剝奪された過酷な工場労働者が地平線に向かって助けを求めている。悪夢を幻想として描いている。美術学校卒業後は帰郷して小学校教員に就き、制作を継続していたが、戦争に召集。昭和19年、太平洋トラック島沖で戦死した。29歳であった。

新しい美術潮流とは別に写実を基本に描き続けた画家たちを挙げる。

小山周次は明治18年（1885年）に小諸市に生まれた。小諸義塾で学び、美術教師の三宅克己に触発されて画家を志した。太平洋画会、日本水彩画研究所で研鑽を積み、水彩画を専門とした。丸山晩霞の内弟子である。敬虔なクリスチャンで晩年は宗教画を描いた。

矢崎博信「江東区工場地帯」

茅野市美術館所蔵

大正2年に日本水彩画会創立に参画した。信州人らしい真正直な人柄が滲み出た丹念で精緻なタッチの写実的表現が特徴である。

その小山周次に連れられて丸山晩霞を訪ねたのが**神津港人**である。港人と小山周次は遠縁に当たっていた。港人の生家は佐久市の資産家である。「1　音楽の世界」で登場した日本の近代音楽を作ったひとりである神津専三郎や作曲家・神津善行は一族である。彼らは神津家のうち壁が赤い方、赤壁の家であり、港人は黒壁の家であった。黒壁の家からは西洋式の神津牧場を開いた邦太郎が出ていて、彼の従弟である。明治22年（1889年）に生まれた港人は小学校のころ算術の時間に問題を解いた後石板を裏返し、弁慶の絵を夢中になって描いた。父は港人の姿を見て「絵描きにでもなるか」とときどき声をかけたという。[※10]野沢中学（現野沢北高校）に進学したときには絵描きになる思いを強くしていた。そして、丸山晩霞と会った。晩霞は小諸市の隣町の祢津村で暮らしていた。その後、半年ほど日曜日ごとに徒歩で片道23㎞の距離を歩いて描いた絵をみてもらった。東京美術学校に入学。同級に萬鉄五郎らがいた。西洋画科で黒田清輝、和田英作らに指導を受けた。政府主催の展覧会から距離を置いていたため全国的な評価を得ていないものの優れた描写力で写実的表現を貫いた。

日本画家では文展など官展で旧派を代表する画家として活躍した**池上秀畝**は血染めの桜で有名な高遠城跡がある高遠町の紙問屋の次男として明治7年（1874年）に生まれた。祖父の休柳は高遠藩の狩野派御用絵師に学び、絵画論の著作も発行している。父の秀華は四条派を学び、俳句、短歌を詠み、茶道華道に凝る趣味三昧の生活を送っていた。秀畝はこの優雅で文化的な家庭で自然と絵の描き方を覚えた。小学校を卒業して荒木寛畝の門人となり文人画を学んだ。文展開設時、審査運営方針に異議を唱え、正派同志会を結成した。会の名前のとおり、正統派は日本の伝統画風の狩野派、四条派を継承する自分の画法にあることを主張した。描く技術は低くても、写実、遠近法の洋画技術が導入されていることが評価対象となっていることへの反発である。文展には第2回から参加する。第10回から3年連続特選となるが、洋風を尊ぶ審査に不満を示して新結社を結んだ。これが文展の内部改革の口火となった。帝展では審査員となる。華麗な花鳥画、幽遠な山水画を描く。第二次世界大戦中の昭和19年（1944年）に69歳で没した。

矢沢弦月は明治19年に現在の諏訪市に生まれ、画家を目指して上京。同郷の当時の大蔵大臣であった渡辺国武の家に居候した。渡辺国武の弟の孫にノーベル化学賞を受賞した野依良治がいる。寺崎広業に師事し、彼が教授をしている東京美術学校に進んだ。文展、院展から日展に出品した官展系作家として活躍。穏やかな色調の風景画を特徴とした。

「こどもの魂に触れる画[※11]」の創造を目指して童画を芸術の域にまで高めたのは**武井武雄**である。童画の命名者である。

明治27年に現在岡谷市の平野村で父が村長を務めたこともある名士の家に生まれた。岡谷市は諏訪市の隣町である。一人っ子である武雄は幼少時に病弱で家の中で多くの時間を過ごした。空想に浸って楽しみ、絵を描くこと、短歌を作ることが好きであった。中学（諏訪中学）のとき北原白秋、竹久夢二に心酔した。本郷洋画研究所を経て東京美術学校西洋画科で学び、大正8年に卒業した。その前年に、鈴木三重吉が『赤い鳥』を発刊して児童文化の見直しが唱えられた。それから数年は、『金の船』など児童雑誌が次々に創刊され、児童文化のルネサンスと言われる時期を迎えた。児童雑誌は童話、童謡中心であった。童画中心の絵雑誌『コドモノクニ』が創刊される。その表紙、題字を担当した。日本で初めてのデザイン化された題字に何とも言えない微笑ましく、個性的な絵は目にした子供、大人を熱狂させた。武雄は初めて自身の絵を売り込みに、出版社・東京社（のちのハースト婦人画報社）に行った。対応した『日本幼年』の編集者和田古江は断るつもりで面会したが、その斬新さに驚き、彼の絵を採用した。そして、半年後に創刊する『コドモノクニ』の表紙を武雄に任せることになった。武雄は児童雑誌に擬人化した動物の絵や、童話の挿絵を描いた。子供の夢を無限に喚起させそうな、ナンセンスな不思議な絵であっ

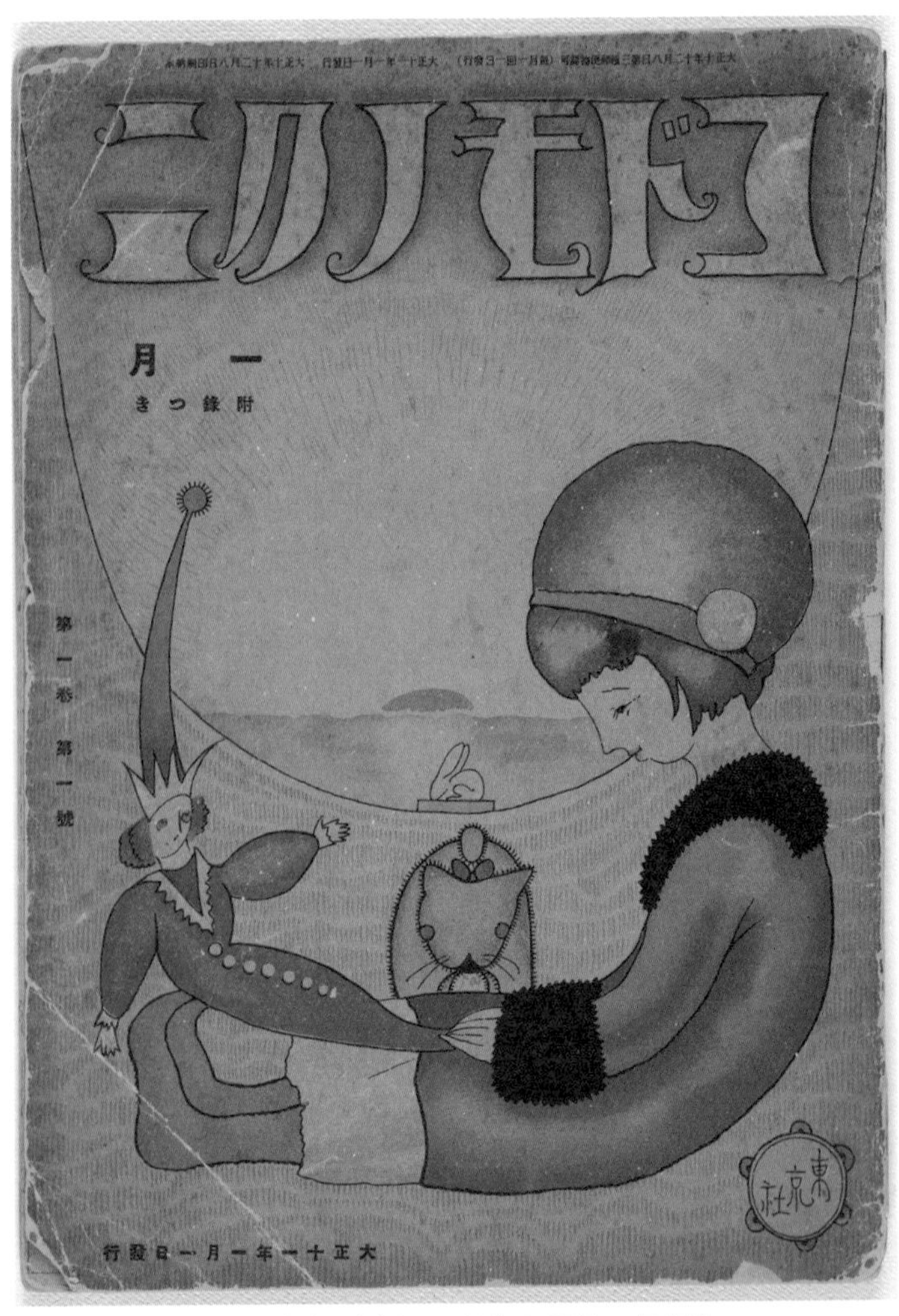

『コドモノクニ』創刊号表紙　1922年１月号　東京社
表紙/武井武雄　©長野県岡谷市

た。児童文化のルネサンスは美術において、教育では山本鼎、作品提供においては武井武雄が行ったことになる。平成24年にアメリカの美術出版社タッシェン社の編集者からイルフ童画館に手紙が舞い込んだ。イルフ童画館は武雄の作品を展示する美術館である。昭和3年に発売された菊池寛編集の『アンデルセン童話集』の武雄の絵を見つけて感銘を受け、彼の絵を使わせてほしいとの申し入れであった。翌年、武雄の絵が入ったタッシェン社版『アンデルセン童話集』が発刊された。時代、国境を越えて武雄の絵が愛される証しとなった。昭和2年に日本童画協会を清水良雄、村山知義らと設立。童画は美術の他のジャンルに従属するものでないことを唱えた。

童話を書く。玩具研究が日本では行われていないのを嘆いて自らその蒐集と研究を行い、玩具の研究書を著した。本そのものを工芸品のようにひとつの芸術品とする「本」を刊行した。童話、絵の中身だけでなく装丁、紙質、印刷、字体と本の要素を全て自身で工夫を凝らして作成した。本の作者であり、編集者であり、デザイナーであった。刊本作品と武雄が呼んだこれらの本は知人らに配布され、市販はされていない。本の宝石と言われる。童話、絵、字体、玩具を愛した武雄ならではの製作品である。版画の中には抽象画家のカンデンスキーを好み、それと似た作品を作っている。戦後になると、武雄はおとぎの国のような子供の心の中にある想像の世界を描いた。日本童画のパイオニアとか、ファンタジーの王様とか称される。画壇に属さず、展覧会を目指さない画家であった。

彫刻界の動きをみてみる。ヨーロッパではロダンに学んだブールデルとマイヨールが次の世代を形成していた。ロダンは彫刻に生命感を盛り込もうとした。ブールデルは面の建築的な構成によって立体美を追求した。そのブールデル門下に入り、東洋人初の塾長となったのが**武井直也**である。

武井武雄と同じ平野村（現岡谷市）に、彼より1年前に生まれた直也は同村の篆刻家の影響で彫刻家を志した。上京して戸張孤雁に師事し、東京美術学校彫刻本科に進んだ。大正7年（1918年）から日本美術院展で3年連続で入選、大正13年にフランスへ留学する。同郷の清水多嘉示らとパリに住む。ブールデルに学び、3年後に帰国。簡明堅固なブロンズや大理石彫刻を制作し、日本彫刻界にフランス彫刻の新しい風を吹き込んだ。彫刻の基本に立ち返るとの思いから、昭和11年（1936年）に日本彫刻家協会を結成して精力的に活躍、文展の無鑑査に推されていた。協会結成の4年後に腸チフスのために急逝した。46歳であった。

大正から昭和初期の美術界はヨーロッパからの新潮流が流入し、後期印象派、フォービスム、シュルレアリスム、抽象絵画が日本でも展開された。信州からも個性的な美術家が輩出された。子供の個性を尊重する近代的な教育思想も生まれ、山本鼎の自由画教育運動が起こり、武井武雄が起点となった童画も確立した。一方、第一次世界大戦中の好景気も先進国の経済が復興すると不景気に陥り、関東大震災、金融恐慌、そして昭和４年（１９２９年）の世界恐慌と底の浅い日本資本主義は出口を見出せずに戦争への道を突き進む。獲得し始めた近代的自由は抑圧され、不況からの解決策を見出せない閉塞感は美術家の作品に表れた。第二次世界大戦では島崎鶏二、矢崎博信は戦死した。

□関連ミュージアム　武井武雄：イルフ童画館（岡谷市）。

5～7の注記

※１　『日本の近代美術12　近代の版画』青木茂編　大月書店　１９９４年2月8日第1刷発行　13頁
※２　インターネット「石井鶴三と長野県美術教育の関係について」大島賢一
※３　インターネット「石井鶴三と長野県美術教育の関係について」大島賢一
※４　インターネット「石井鶴三と長野県美術教育の関係について」大島賢一
※５　インターネット「石井鶴三と長野県美術教育の関係について」大島賢一
※６　「信州の教育会と彫刻家石井鶴三」福江良純『北海道教育大学紀要』教育科学編65(1)　２０１４

年8月　231頁

※7　インターネット　河野通勢ギャラリー「父・通勢の出生について」

※8　インターネット「異端の天才　林倭衛展」1989年6月3日〜25日　八十二文化財団

※9『日本美術の歴史』404－405頁

※10　インターネット「佐久の先人たち㊺　佐久の洋画のパイオニア神津港人」土屋信

※11『武井武雄』イルフ童画館編　河出書房新社　2014年5月30日初版発行　9頁

5〜7の参考文献

『日本の近代美術12　近代の版画』青木茂編　大月書店　1994年2月8日第1刷発行

インターネット　フリー百科事典ウィキペディア　各該当人物

『すぐわかる画家別　近代日本版画の見かた』岡本祐美他　東京美術　平成16年2月20日初版第1刷発行

インターネット　東文研アーカイブデータベース　各該当人物

インターネット　須坂版画美術館ホームページ

インターネット　農民美術作家　三代目中村実工房ホームページ

インターネット「石井鶴三と長野県美術教育の関係について」大島賢一

「信州の教育会と彫刻家石井鶴三」福江良純『北海道教育大学紀要』教育科学編65(1)　2014年8月

『西洋美術史』村田数之亮編　創元社　昭和53年4月20日第1版第13刷、初刷は昭和41年5月1日
インターネット　河野通勢ギャラリー
『信濃毎日新聞』2015年10月22日付文化欄　横井弘三の画業しのび出版の記事
インターネット　梅野記念絵画館ホームページ「異端の天才　横井弘三展」2014年6月21日〜8月31日
インターネット　練馬区立美術館ホームページ「没後50年〝日本のルソー〟横井弘三の世界展」2016年4月17日〜6月5日
インターネット「異端の天才　林倭衛展」1989年6月3日〜25日　八十二文化財団
『日本美術の歴史』
インターネット「日本水彩会の創立者　小山周次」1999年5月22日〜6月13日　八十二文化財団
インターネット「佐久の先人たち㊺　佐久の洋画のパイオニア神津港人」土屋信
『20世紀日本人名事典』「矢沢弦月」
インターネット「周南市美術館『武井武雄展』パンフレット」2018年1月5日〜2月18日
『原色日本の美術　第31巻　近代の洋画』
『武井武雄』イルフ童画館編　河出書房新社　2014年5月30日初版発行

8 昭和後半（第二次世界大戦後）、版画家・上野誠、池田満寿夫

太平洋戦争で日本は敗戦した。戦争は多くの人々の命を奪い、街を焼いた。生き残った人々には悲しみと苦しみを深く残した。

上野誠は戦争や原爆の悲惨さを版画に刻んだ。「ケロイドの脚」、「ヒロシマ三部作」などである。昭和34年（1959年）にライプチヒ国際書籍版画展でパブロ・ピカソとともに金賞を受賞している。モスクワ、ブルガリアで個展を開催し、海外での評価も高い版画家である。

明治42年（1909年）に現在の長野市に含まれる川中島に鍼灸師を代々営む内村家に生まれた。川中島は戦国時代に武田信玄と上杉謙信とが激闘を五度繰り広げた場所である。祖先の中に、義侠の英雄がいた。彼は江戸時代、庄屋を務めていたときに農民の窮乏を救うために年貢減免を代官所に願い出、要求は受け入れられたものの処刑された。誠は父からこの話をいくども聞かされたようである。ひとミュージアム上野誠版画館のホームページに掲げられた上野誠の日記に次の文がある。

「僕は強いものには　ひかれない　弱いもの　温かいものに　ひかれる」(※1)

内村家の義侠心は誠にも貫かれていた。

長野中学（現長野高校）で美術部に所属した。美術教師に絵の才能を見出され、進学を勧められた東京美術学校（現東京芸術大学）に二浪して入学した。油絵「赤い屋根」を見ると、重厚で画面構成に長けていたことが分かる。学内で知り合った左翼系の人々と左翼運動に関わるようになり、2年のときに学内民主化運動に参加して退学処分を受けた。獄中で拷問を受けても自白せず、同じ留置所にいた強盗、スリを犯した犯罪者がその様子に感服して誠が傷つけられた体でトイレに行くときに介助をしたほどであった。「責められて遠くなりゆく意識（略）学生さんえらいもんだとシャポー脱ぐ前科三犯刺青の人[※2]」と日記にある。出所後、ふるさとの川中島に帰る。「2　美術の世界[5]」で記述した小林朝治の版画グループで平塚運一に版画を学んだ。彼の身の上を心配した東京美術学校の教師が教員になる道を教え、誠は美術教員になった。このとき、教員試験で前歴を隠すように諭されて姓を内村から妻の姓である上野に代えた。鹿児島県指宿、岐阜県の青年学校で教鞭を執る。版画作品は国画会展に出品を続けた。ドイツの版画家ケーテ・コルヴィッツに傾倒した。コルヴィッツの息子と孫は第一次世界大戦で戦死した。母として女性として自身の苦悩を版に刻んだ。また、周囲にいる農家や労働者などの貧しい人々の感情を表現した。誠は、虐げられた者、弱き者に向ける視線に共鳴した。彼のはっきりとした線、対象人物の滲み上がる感情表現はコルヴィッツの影響を確実に受けている。

敗戦後、教員を辞職した。教え子たちの出征を万歳して送り出さざるをえなかった自責の念からである。新潟に移り、玩具のデザイナーとして働いた。丸木位里、丸木俊の「原爆の図」の新潟県内移動展を企画、組織した。「原爆の図」は原爆を投下された広島の惨状を描いた連作絵画である。丸木位里、俊夫妻は原爆の恐ろしさを後世に伝えようと決意し、全国各地の協力者の支援により、昭和25年から3年かけて展覧会を全国で巡回した。新潟県での開催の支援者は誠であった。東京に戻った。昭和29年（１９５４年）、水爆実験と第五福竜丸の被爆をきっかけに「ケロイド症者の原水爆戦防止の訴え」を描いた。この後、「ヒロシマ三部作」がライプチヒ国際書籍版画展で金賞を受賞する。被爆者の本質を知ろうと長崎に行き、取材する。「何べん話を聞いても同じや」(※3)と無視された。彼らの苦痛に対して自身のしていることが無力であることを痛感した。長崎に1カ月滞在した。一軒ずつ被爆者の家を回って根気よく話を聞いた。彼らは被爆者として差別を受け、被爆による体調不良、貧困に苦しんでいることを知る。昭和36年（１９６１年）、「原爆の長崎」の連作に着手した。

上野誠は単純な反戦画家ではない。弱者と向き合う、社会の不条理に憤る反骨のヒューマニストである。

上野誠は国際的評価を受けた。**池田満寿夫**もまた言わずもがな国際的評価を受けた美術家のひとりである。満寿夫は上野誠と同じ現在の長野高校（当時は長野北高校）で学んだ。誠が二浪の上、東京美術学校に進学したのに対して、満寿夫は校名を変えた東京芸術大学に3回受験したが失敗、進学を諦めた。

昭和9年（1934年）に満州に生まれる。戦後、11歳のときに母の郷里である長野市に引き揚げた。高校のとき、油絵で全国コンクールで入選。浪人中、前衛美術の推進目的に昭和12年に結成された美術団体の自由美術家協会展に応募したが落選。前衛美術家の靉嘔（あいおう）らと既存美術団体を否定する美術グループ「実在者」を結成。靉嘔を通じて瑛九と知り合った。瑛九は宮崎市出身の美術家である。瑛九が結成したデモクラート美術協会に加盟し、彼から版画の手解きを受けた。瑛九は満寿夫の素描に才能を認め、当時、本格的に手掛ける画家がいなかった色彩銅版画を勧めた。満寿夫はすぐにその才能を開花させる。昭和32年（1957年）開催の第二回東京国際版画ビエンナーレ展で文部大臣賞を受賞。第三回の同展でも東京都知事賞を受賞する。この二回の受賞は外国人審査員によって評価された。「日本の能面に通ずる簡潔な美がある（※4）」と絶賛された。能面は無表情の中に様々な意志と感情を圧縮して観る者に示す。日本特有の無常を表現している。満寿夫も不変の人間、普遍的な理性を持った人間をではなく、変化する人間を線で表す。鮮烈な線は観る者を挑発してくる。満寿夫を評価した審査員の企画により、ニューヨーク近代美術館では日本人で初めて個展を開催することになった。そして、**昭和41年（1966年）**、ドライポイントを中心にした版画が世界の美術展の中で最高峰のひとつである**ヴェネツィア・ビエンナーレ展版画部門で国際大賞を獲得**し、「世界の満寿夫」の地位を不動のものにした。受賞作品「**スプリング・アンド・スプリングス**」では女が飲料を飲むのではない。女はメーカーにより大量生産された飲料と同等で軽い存在である。女はコーラを飲むことに踊り、または踊らされている。飲料と同じように女も消費されている。日本に消費社会が訪れるのは昭和50年代。それ以前に消費社会の空気を感受していた天才である。

ヴェネツィア・ビエンナーレ展では満寿夫が受賞する11年前の昭和31年（1956年）、棟方志功が版画大賞を受賞している。棟方志功はその前年にサンパウロ・ビエンナーレ版画部門最高賞を受賞した。日本画家が世界の公募展で最高賞を受賞したのは初の出来事であった。国内では洋画、日本画、彫刻よりも地位が低い版画での快挙であった。国際展では満寿夫、棟方志功以外にも浜口陽三、駒井哲郎、斎藤清が受賞している。西欧美術を摂取し、模倣し、その変革を受容してきた日本美術が世界レベルに到達したと共に世界との同時性をも獲得した。日本版画が海外展で受賞したのは版画の表現形式にひとつの理由があると思う。大陸に住む人々が歴史を貫く宗教で規律され、物語を重厚に構築しようとする精神性に対して、四季の変化に富んだ島国に生まれた日本人は詩的表現を得意とする。厚く塗り重ねる油絵ではなく、版に刻んで印刷する重厚ではない版画表現は日本の風土、日本人の精神が反映しやすいと考える。浮世絵の伝統を継承し、山本鼎の始めた創作版画が世界水準で開花した。

池田満寿夫は身の回りの出来事を描く。エロスを描いたものも多い。女性の性器も露骨に描く。「エロスの作家」と評される。彼に版画を教えた瑛九もエロスを描いた。満寿夫は「版画には道化の精神を自分に課した」(※5)という。エロスを描いてもそこにはユーモアがあった。

昭和52年（1977年）に小説『エーゲ海に捧ぐ』で芥川賞を受賞する。画家としては初の芥川賞作家となった。映画監督として同作品を映画化した。マルチタレントとして時代の寵児となる。

日本とアメリカとを往復していた満寿夫は昭和56年以降は日本に制作拠点を定めた。陶芸に打ち込む。版画の制作点数は約1000点。陶芸は3000点。満寿夫は陶芸に自身のイメージが一番表現しやすい手段と感じた。中学生のとき、上田彫塑研究会の講習会に参加して石井鶴三の「立体感動」の美的精神に感銘した。芸大受験も2回目と3回目は彫刻科を受けた。彼は立体芸術家を志向していたと思う。版画を始める前にコラージュを手掛けていた。それを版画にも活かした。ぱっかりと割れた陶芸を造る。満寿夫は破壊の美学と呼ぶ。それは破壊ではなく、生命誕生と自然に帰ることの輪廻転生を感じ取っていたと思う。常でないこと。広大な満州に生まれ、信州の自然のなかで育った満寿夫は、固定化され、永遠化される近代及び現代文明観ではなく、自然界の生命、物質の生成の偉大さから無常を感じ、その表出欲求が彼を突き動かしていたのではないかと思う。

女性関係も華やかであった。19歳で11歳年上の下宿の娘と結婚、離婚に応じてもらえなかったため生涯の配偶者となった。26歳で詩人、作家である富岡多恵子と同棲。32歳でロサンゼルスで中国系米国人画家のリランと同棲。40代からはヴァイオリニストの佐藤陽子が内縁の妻となる。彼女とはおしどり夫婦で有名であった。テレビでの同時出演、満寿夫の講演と佐藤陽子の演奏とのセット講演を行った。平成9年（1997年）、静岡県熱海市で地震があったとき愛犬に飛びつかれて心不全にて急逝した。63歳であった。

□関連ミュージアム　上野誠：ひとミュージアム上野誠版画館（長野市）、池田満寿夫：池田満寿夫美術館（長野市）……残念ながら平成29年に閉館になりました。

9 昭和後半（第二次世界大戦後）、前衛芸術家・オノサト・トシノブ、松澤宥

オノサト・トシノブは日本の抽象絵画の草分け的存在である。抽象絵画は二つに分類される。自由な線と形を画面に躍動させる熱い抽象と幾何学模様で画面を構成する冷たい抽象とにである。トシノブの作品は冷たい抽象である。明治45年（1912年）に飯田市に生まれ、10歳のときに教員をしていた父が群馬県桐生市の高等女学校に転勤するのに伴って桐生市に引っ越した。日本大学工学部電気学科に入学するが退学。津田清楓洋画塾で学ぶ。津田清楓洋画塾出身者と前衛グループ黒色洋画展を結成した。第22回二科展に入選する。後に池田満寿夫に版画を手ほどきする瑛九と出会う。瑛九とはその後、美術表現の方向性において盟友となる。自由美術家協会設立に参加。太平洋戦争が開戦、従軍して満州で終戦を迎え、シベリアに抑留されて鉄道敷設工事に従事した。昭和23年（1948年）にナホトカより帰国して桐生市に戻った。瑛九のデモクラート美術協会設立に加わった。昭和30年代から独特な幾何学模様で画面を埋め尽くした作品を制作し始める。彼自身が「べた丸」と呼ぶ赤や青などの単一色の円を織物のような網目のなかに置いた作品、四角形をモザイク状に並べたり、四角形が拡散するように配置した作品をである。昭和37年（1962年）に営んでいた養鶏場をやめて画家一本の生活に絞った。50歳になってい

た。翌年、四角形を並べた「相似」を第7回日本国際美術展に出品し、最優秀賞を受賞。翌年に同作品をグッケンハイム国際賞展に出して同館の所蔵となる。昭和39年、41年の第32、33回目のヴェネツィア・ビエンナーレ展に出品、国際的に注目を集めた。その第33回ヴェネツィア・ビエンナーレ展で池田満寿夫が版画大賞を受賞する。円を主題とする作品は、その内部を三角形、四角形などに分割し、円が拡散していく模様に変化した。その構図は錯視効果を生む。錯視効果を狙うオプティカル・アートが大々的に展覧会が開催されたのは1965年（昭和40年）のニューヨーク近代美術館での「感応する眼」である。それに先行する画業であった。

抽象絵画は名のとおり具体的な対象を描かない絵画である。そのために描くものは幾何学模様になる傾向がある。近代的抽象絵画は1910年のカンデンスキーの作品から始まる。カンデンスキーは描いた作品を上下逆さにしてみたら色彩の奏でるシンフォニーを感じて自ら感動した。(※6) このように抽象絵画は視覚的効果を問題にする。デザインと同じである。

トシノブは描くことを心の欲求や観念に求め、抽象絵画の道を推し進めていった。描かれた絵はそれ自体が鑑賞されるものであった。**抽象絵画以前の西洋絵画では**、それを鑑賞することは描かれた何らかの対象を画家の目を通して、画家の思想、観念を感じ、**描かれ**

た対象をみることであった。抽象絵画は描かれる対象をなくした。トシノブは、対象物を描かれたもの、それそのものが実在であると主張した。彼の作品には心情、社会批評など一切盛り込まれていない。その作品は単純に明るい。「太陽の絵」、「希望と光の芸術」とトシノブは自ら語った。(※7)

トシノブは養鶏業が盛んな飯田市、桐生市で生まれ育ち、桐生市を生涯の住処とした。縦と横の線が垂直に交差する図柄は飯田市、桐生市で生産される絹織物から連想したと思う。円は営んだ養蚕業から鶏が生む卵の形を意識して、円の分割は卵が多様な養分をもって作られ、細胞分裂を繰り返しながら生命として羽ばたくのを想像して表現したのではないかと推察する。

トシノブの盟友である瑛九は没後も多くの展覧会が開催され、研究書が出されている。それに比べてトシノブのそれらはほとんどない。海外で高評価を得ながら、画壇に属さなかったことと画商との確執があり、70年代以降は作品を発表する機会がほとんどないまま、昭和61年（1986年）に74歳で亡くなった。

美術は作者が感動、思想を色と形で表現するものである。鑑賞者は作品から作者のそれらを感じ取る。感動、思想を重要視し、絵画、版画、彫刻と既存の美術表現を捨てて他の手段で伝えようとしたのがコンセプチュアル・アートである。１９６７年（昭和42年）にアメリカ人画家ソル・ルイットがこの用語を使ったとされ、１９６０年代後半から70年代に隆盛した。日本では概念芸術または観念芸術と言われる。コンセプチュアル・アートの先鞭はマルセル・デュシャンの１９１７年「泉」である。男性用小便器を横に倒して置き、自分の名前を記した。鑑賞者は便器を美術品として観ようとする。対象物から得る観念と観念から観る対象物との意識の逆転を鑑賞者に誘発させる。ジョセフ・コスースの１９６５年作品「1つ及び3つの椅子」は椅子、椅子の写真、椅子の辞書での説明文が配置されている。物体を意識する観念が浮上する。コンセプチュアル・アートの先駆的作品である。

松澤宥は伝説となった「オブジェを消せ」の啓示を夢のなかで受けて美術を言葉だけで表現することを決意した。日本の概念芸術の創始である。啓示を受けたのは彼が42歳のとき、昭和39年（１９６４年）６月であった。その年、若手前衛芸術家の作品発表の場となっていた読売アンデパンダン展が作品の無法秩序のために廃止となった。日本が敗戦から立ち直り、経済大国となったことを宣伝するかのごとく東京オリンピックが開催された。

宥は啓示を受けた同月、「アンデパンダン展64」に、具体的作品展示がない空間で「プサイの死体遺体」と題名を付けたチラシを配布した。概念芸術の最初の発表作品である。

チラシは語る。ものは見えなくとも実在する。それは物理学が分子、原子、量子の存在で証明している。「それと類似の在り方で非感覚絵画は在る」[※8]と。**ものを制作しなくとも観念だけでも美術はあると唱えた。**まさに観念芸術である。脳の芸術と言ってもよい。近代思想は観察することを基礎とする。見る主体と見られる客体との主客二元論である。見られる客体を自身の抽象的思索にし、非物質とした。それは、また「芸術の根拠を鑑賞者の観念のうちに移行させるもの」[※9]であった。ジョセフ・コスースの作品の1年前に実施した行為であり、より先鋭的な発表であった。コンセプチュアル・アートの世界的な先駆者である。日本の近代美術は欧米美術に感化され、そこからの影響を受けて進展してきた。松澤宥の概念芸術は欧米の感化、影響からではなく、日本独自の美術文脈のなかから出たものと解釈されている。

その年の12月、宥は『美術ジャーナル』に「荒野におけるアンデパンダン'64展」の広告を打った。荒野は宥の住む下諏訪の裏山である霧ヶ峰高原である。中世のころ、そこは祭祀の場であった。広告にはタイトルの下にカッコ書きに「(物質を信ずるなかれ　感覚を信ずるなかれ　眼を信ずるなかれ)[※10]」と書かれている。反物質、反知覚を唱えている。そこで物体のない観念だけの作品送付を受け付けた。

宥の「量子芸術宣言」(昭和63年)の冊子は非感覚絵画の延長である。文字だけの美術表現はソル・ルイットも行っている。人間は言葉を絵より先に生み出したとされる。表現手段を最大限に削ぎ落とした人間だけが持つコミュニケーション手段の言葉を選択して美術を表現した。メールアートを発信する。文字を書いた幟を翳したパフォーマンスを行う。豊田市美術館には「白鳥の歌」と題した白い板が池に置いてある。題名によって鑑賞者はただの板に白鳥の気持ちを汲み取ろうとするであろう。

松澤宥は下諏訪町で製糸業を営む旧家で大正11年（1922年）に生まれた。早稲田大学理工学部建築科を太平洋戦争敗戦の翌年に卒業。彼は卒業式謝恩会で次のように発言した。「魂の建築、無形の建築、見えない建築をしたい(※11)」と。このときからすでに反物質を思考していた。彼の創作の原点は広島への原爆投下である。原爆による街と人の消滅は彼の人類または物質の消滅、反物質の思想に影響を与えている。建築事務所で数年働いた後、諏訪に戻り、定時制高校の数学の教師に就く。詩を書き、読売アンデパンダン展に抽象絵画を発表した。アメリカ留学の試験に合格してそこで2年間、現代美術や宗教哲学を研究する。ラジオで超科学、ＵＦＯに関する放送を熱心に聞いた。帰国後、観念芸術を模索する。定時制の教師の職は定年まで勤めた。

美術において抽象絵画を超える表現はあるだろうか。表現を壊すか、消滅させるかしかない。近代美術は作家の目、思想を重んじる。何を描くか、から、どう描くかに力点が移動してきた。精神尊重を推進すると、光の加減を主張する印象派から、形の束縛から逃れたキュビスム、フォービスム、抽象主義へとより自由な美術表現に進んで行った。美術が作家の思想を絶対視し、既存表現を疑問視する行為も近代美術の行き先であろう。しかし、表現破壊を絵画、彫刻という美術表現の中で実行することは自縄自縛である。近代美術は行き場を失う。美術の終焉である。松澤宥もそれを唱える。近代美術は終着駅に到達し、そこから近代精神では出口のない車両置き場でただ語るしかなくなった。「美術は終わった」と。

松澤宥は思想家である。終着駅を哲学論文で発表しても人々には伝わらない。美術作品ゆえに伝達可能である。彼の作品を観る者は彼の主張を懸命に感じ取ろうとし、考えようとするからである。

前衛美術家のオノサト・トシノブ、松澤宥とも美術大学ではなく、理工系学部出身であることは興味深い。

10 昭和後半（第二次世界大戦後）、草間彌生

昭和後半、第二次世界大戦後編で登場した上野誠、池田満寿夫、オノサト・トシノブ、

松澤宥はいずれも世界的に注目された。戦後、彼ら信州出身の美術家だけでなく日本の多くの美術家たちが世界レベルで評価された。彼らは美術界で世界との同時代性を獲得し、日本人のオリジナリティーを主張した。しかし、美術界の主流は欧米であり、戦後はアメリカが主役の座に付いていた。日本は極東にある辺境に過ぎなかった。そのアメリカで世界の美術界をリードする日本人が出現する。**草間彌生**である。

アメリカの雑誌『TIME』は２００４年からの企画「世界でもっとも影響力のある１００人」を発表している。彼女はその２０１６年版（平成28年）に選ばれた。イギリスの美術専門誌『The Art Newspaper』の「もっとも人気のアーティスト」には２０１４年に選ばれた。世界の美術界の頂点に立つ芸術家のひとりである。ピカソを超えるとさえ評される。

昭和４年（１９２９年）に、松本市の種苗業を営む旧家に生まれた。放蕩を重ねる父とヒステリックな母との確執があり、母は彌生が生まれたことを後悔していた。そのため、彌生は幼少から強迫観念に襲われ、幻覚を見るようになった。自宅のスミレ畑でスミレが話しかけてくる。遠くの山並みからいろいろな光が出て輝くものが見える。不思議な体験をしたときは家に飛んで帰り、スケッチブックにそれらを写した。彼女の代名詞である水玉はすでに10歳のときの母の肖像画「無題」に表れている。周りを水玉模様にさせてその中に自分を埋没させる。周囲に同化させる。水玉は彼女を自己消滅させる道具であった。絵を描くことが自分を救うことであった。必然、画家になりたかった。しかし、画家を下卑た職業と蔑視する母は反対し、描いているところを見つかれば叱責され、画材を取り上げられた。それでも絵を辞めなかった。松本高等女学校（現松本蟻ヶ崎高校）で美術教師の日本画家から放課後に指導を受けた。卒業した年、石井柏亭らが開催した全信州美術展覧会に日本画を出品した。大戦下、疎開してきた並み居る画家の顔ぶれの中で入選した。家族を説得し、京都市立美術工芸学校の日本画科の最終学年に編入する。「精密に描きなさいと言うばかり。すっかり呆れ、学校にはほとんど行かなくなってしまった。[※12]」と彼女は閉口した。卒業作品の「玉葱」は歪んだ市松模様を背景に玉葱が精密に描かれている。同校を卒業して松本に戻る。女学校、美術学校で日本画を習ったが、その枠には捕らわれなかった。自室に籠もり、昼夜問わず描き続けた。キャンバスが足りなくなると、家にあった種袋の布で作った画布を使った。種袋の画布に表した作品「残骸のアキュミレイション」は単一模様の羅列が遠方に渦を巻いていく。彼女のテーマである増殖が出ている。23歳のとき松本市内で初の個展を開催した。信州大学の教授である精神科医の西丸四方は彼女の絵に才能を見出し、東京での個展にもつなげた。西丸四方はその後、精神科医としての立場から彼女を支えた。師と仰ぐ松澤宥に出品協力してもらった。松本市の古本屋でジョージア・オキーフの絵に出逢う。松本から6時間かけて東京に出、アメリカ大使館で彼女の住所を調べて数点の水彩画と手紙を送った。画家として生きていく術を知りたいと綴った。彼女から返信があり、いくどか文通がされた。彌生は敷居の高い城下町松本、伝統的な京都と保守的な日本を飛び出したかった。アメリカ行きを決意した。28歳、昭和32年（1957年）、単身アメリカに渡る。日本で描いた自室の天井まで積みあがったという数百枚の絵は焼き捨てた。日本との決別である。

シアトルに住み、ニューヨークに転居した。お金がなく、持ち金は絵の具とキャンバスにつぎ込み、風呂のない住居で魚屋や八百屋が捨てた屑を拾って飢えを凌いだ。夜明け前から夜中まで筆を執り続けた。モノクロの微細な凹凸が画面を覆いつくす。単一模様の反復である。その凹凸はキャンバスを飛び出して部屋中に及ぶ錯覚に陥った。救急車を何度となく呼んだ。「無限の網」と銘打った連作をブラタ画廊の個展で発表した。1959年（昭和34年）であった。アメリカは第二次世界大戦後、世界美術の中心となっていた。アメリカの中心はニューヨークである。そのニューヨークではポロックに代表される抽象表現主義が全盛期であった。来場者の目は作品に釘付けとなった。「ニューヨーク・タイムズ」、「アーツ・マガジン」などの主要メディアが無名の新人画家の絵画を絶賛した。近代絵画は欧米では男性が主流である。日本もまたそうである。その男性社会のなかに日本から来た若い女性がいきなり登場した。後にミニマル・アートの代表的作家となるドナルド・ジャッドも来場して影響を受けた。美術史において抽象表現主義からミニマル・アートへの橋渡し役と、後年評価される。

1962年、グリーン画廊で彫刻「集積」を発表。布に詰め物をした突起物で家具を覆った。従来の石、金属、木の硬質な素材ではなく、柔らかい素材を使用したことは画期的であった。これをソフト・スカルプチュア（柔らかい彫刻）という。突起物はファルス（男根）である。性的恐怖心を克服するため、その恐怖の対象を彼女の手法となった反復と増殖によって三次元で表現した。翌年、ガートルード・スタイン画廊で「集合——千艘のボート・ショー」展を開く。たくさんのファルスが付着したボートを設置、そのボートを撮影したモノクロのポスター999枚を壁と天井に貼り付けた。場所や空間全体を美術表現とするインスタレーションは1970年以降に一般化されるが、先駆的試みだった。この展覧会に訪れ、表現形態を触発されたアンディ・ウォーホルはその3年後、牛の写真を天井、壁と貼り巡らせた展示を行い、ポップアートの旗手としての名を馳せる。彌生の美術仲間のクレス・オルデンバーグは後年、巨大なソフト・スカルプチュアで高い評価を獲得する。前衛芸術家たちに影響を与え、前衛芸術の旗手となった彌生は現代美術の中心地アメリカと近代美術の中心地ヨーロッパとを頻繁に往復するようになった。無限を表現するために鏡を使い始めた。電灯が側面と天井の鏡に映る。光は終わりなく反復していく。

１９６０年代後半、ニューヨークのシンボル的な場所であるウォール街やセントラルパークで彌生が指揮した男女がヌード、または乱交をする行為をした。裸体には水玉が描かれていた。体を用いたパフォーマンスはハプニングと呼ばれる。ハプニングは１９５０年代に登場し、60年代に盛んに行われた。彌生のハプニングに社会は騒然とした。商業主義に侵されている芸術、ベトナム戦争への抗議であった。美術が画商による売買、コマーシャルに利用される商品であることへの反発であり、性行為は人間を殺す戦争より人間的であることのメッセージであった。彼女のメッセージは「愛はとこしえに」も込められていた。美術を武器に社会問題を可視化した動きであった。

１９７３年、昭和48年に16年に及んだアメリカ生活に区切りをつけて帰国する。昭和53年、『マンハッタン自殺未遂常習犯』を発表して小説家としてデビューする。エピソードを連ねた作品である。昭和58年、『クリストファー男娼窟』で野生時代新人文学賞を受賞した。

帰国後、彌生は美術界でピックアップされなかった。元号は平成に変わる。平成５年（１９９３年）、ヴェネツィア・ビエンナーレで日本館の代表として彌生は「ミラールーム（かぼちゃ）」を出品する。一辺２メートルの立方体の内面六つを鏡にし、その中にカボチャを置いた。カボチャの万華鏡である。平成10年から11年にアメリカ、日本での巡回展「ラブ・フォーエバー　草間彌生　1958－1968」が開催されて再評価が加速された。彼女のデザインはファッションブランドのルイ・ヴィトン、フェラガモなどとコラボされた。水玉模様が付いたオブジェが世界中の美術館や街に置かれていった。彌生の美術が世界中の家庭で街で美術館で増殖した。

ピカソが青の時代、キュビスム、フォービスムと画風を変化させたが、その主義に留まらずピカソであり続けた。草間彌生もまた、日本画、ミニマリズム、ポップアートに合流せず、彌生であり続けている。水玉の反復と増殖で。

11 昭和後半（第二次世界大戦後）、洋画

第二次世界大戦後の昭和後半を版画家・上野誠から記載し始めて、流れに従い現代美術へと筆を進めた。再び、時間を戻す。昭和20年（1945年）8月に戦争が終結すると、長野県では美術を通じて街を活気づかせようという動きが広がった。その中心人物は石井柏亭であった。

東京生まれの石井柏亭は美術団体二科会や一水会の創設に加わり、中央画壇の重鎮とし

て活躍した芸術家である。彼は山本鼎と美術文芸雑誌『方寸』を創刊した仲間であり、弟の石井鶴三は上田彫塑研究会で講師を長きにわたって務め、信州の美術教育に大きな足跡を残した。信州との関係は深い。それにとどまらず、野尻湖畔に別荘を持ち、そこには須山計一（「2　美術の世界7」で登場）が疎開先として身を寄せ、太平洋戦争で東京の自宅を焼失した後は松本市郊外の浅間温泉に疎開し、そのまま晩年を過ごした。8月に終戦するや敗戦に沈鬱する社会を元気づけようと疎開した美術家たちを結集し、11月には長野県内を巡回する全信州美術展覧会開催を実現した。主催は長野県農業会であった。ここで草間彌生が既成画家たちを押しのけて入選した。3年後には長野県美術展となった。主催は長野県、信州美術会、信濃毎日新聞社となった。現在は長野県、県教育委員会、信州美術会である。石井柏亭らは美術団体である信州美術会を結成し、若手作家たちの指導に当たり、信州の美術発展に大きく貢献した。初年度会長は町田曲江（「2　美術の世界3」で記載）が就き、二年度から石井柏亭が就いた。

石井柏亭とともに長野県の美術振興運動に力を注いだ画家が**宮坂勝**である。現在の松本市の酒造業の次男として明治28年（1895年）に生まれ、東京美術学校西洋画科で学んだ。渡仏後、一旦帰郷し母校松本中学校（現松本深志高校）で美術教師として教壇に立った。国画会に出品し、帝国美術学校（現武蔵野美術大学）の教授として後進の育成に当たった。戦時中に実家に疎開、戦後は信州美術会の支部である中信美術会の会長に就任して熱心に美術指導を行った。「絵を志した者が、皆が皆とて傑作を生む訳ではない。誰かが、何万何十万の内から、そして世紀の間に五指を屈する程の誰かが出れば良い。その誰かを出すために、そして正しい伝統を育てる捨石なのだ。その良き捨石となることが、吾々の正しい文化活動ではないだろうか。[※13]」と語った。長野県は千曲川流域の県の北部に位置する北信、東部にある東信と、諏訪湖とそこから流れ出る天竜川流域の南部地域の南信、そして北アルプスの麓の地区と木曽地区の中信の四地区に分かれる。その中信で彼の世話にならない美術家はいなかったという。後期印象派の立体的な構成画、フォービスムのデフォルメ画風の重厚な油彩画を描いた。

小山敬三は現在の小諸市にある豪商の家に明治30年（1897年）に生まれた。初代小諸市長の邦太郎は兄である。邦太郎は衆議院議員と参議院議員も務めた。敬三は上田中学から慶應義塾大学に進んだが画家になるために中退して川端画学校で藤島武二に師事した。8年間フランスに留学、帰国後は神奈川県茅ヶ崎市でアトリエを構え、石井柏亭、有島生馬らと一水会を結成した。太い明確な輪郭が特徴であるデフォルメを加えた骨太の風景画を描いた。「白鷺城」、「浅間山」の連作がある。白鷺城は様々な箇所を様々な角度から描いたが、浅間山は別荘のある南東の方角からのみ描いた。季節、時間帯に異なる顔を見せる、幼少から親しんだ火山を有機的に感じていたのであろう。浅間山は小諸、佐久地区の人々にとってその地区の象徴的な山である。

原田泰治は山下清、谷内六郎らとともに日本の素朴派の代表的画家である。諏訪市で看板店を営む家に昭和15年（1940年）に生まれた。1歳の時に小児麻痺に罹り、歩行困難になる。太平洋戦争が始まり、看板店の経営が厳しくなったのに伴い父は泰治の足の回復も願って学校や病院が近くにある飯田市の開拓地に移り、農業に転業した。父55歳のときであった。諏訪で診療を受けた医者からは回復は難しいと診断されたが、泰治は完全とはいえないが、ひとりで歩けるようになった。ここでの生活が泰治の画家としての源泉となった。自宅近くにある丘の上の神社では春に桜、ミツバツツジが咲き乱れる。「そこだけ魔法にかけられたようにピンク色に華やいで、もしかしたら花咲爺さんが住んでいるんではないか」(※14)と感動した。雑草の花、虫をつぶさに見詰め、刻々と色彩を変える南アルプスの景観を見やり、楽しんだ。「広大な風景を見る鳥の目と、小さな花の雄しべまで見る虫の目を養った」(※15)と振り返る。

再び父は諏訪に戻り、看板店を再開する。泰治は定時制高校に入学し、武蔵野美術大学に進む。グラフィックデザイナーを志して受験した商業デザイン科は不合格。洋画科には合格した。1年して短期大学の商業デザイン科に再入学する。卒業後、東京銀座でデザイナー事務所を経営する叔父の会社に就職したものの体調を崩して諏訪に戻った。吉祥寺の叔父の家からの電車通勤であったが、階段の上り下り、満員電車での棒立ちによってであった。看板店は兄が継いでいた。その二階を間借りしてデザインスタジオを立ち上げた。地方の田舎町ではデザインだけでは仕事ができない。広告をつくるには絵も文章も自ら行わなくてはならない。これが画家としての出発点となった。児童文学者の椋鳩十は飯田市の隣町にある喬木村出身である。泰治の憧れの人であった。絵を見てもらいに訪問した。その後、椋鳩十の紹介で東京にあるいくつもの出版社から連絡が入った。絵本の依頼であった。絵本、画集を出版する。二冊目の画集『草ぶえの詩　こころのメルヘン』を講談社から出版し、小学館絵画賞を受賞する。昭和54年（1979年）であった。これが朝日新聞の編集者の目に留まる。日曜版での連載を依頼された。日本各都道府県の風景を文章付きで毎週連載する。泰治は日本中を取材した。彼の名を一躍著名にした。当初1年の予定であったが、好評のため2年半にわたった。日本万国博覧会、通称大阪万博が大阪府吹田市で開催されたのは昭和45年の3月から9月までであった。テーマは「人類の進歩と調和」であった。科学技術の発展が人類の幸福を導くというスローガンである。閉会後、

10月に国鉄は個人旅行拡大キャンペーンとして「ディスカバー・ジャパン」を開始した。キャンペーンの副題は「美しい日本と私」であった。旅客確保目的であったが、日本の足元の美の再発見を促した。泰治は前衛芸術が隆盛のなか、「自分の絵は作品として認められることはないと思っていた」[※16]ものの、日本の美の再発見ブームにマッチした。国内だけでなく、アメリカでも個展を開いた。朝日新聞の筑紫哲也は後に親友となるが、彼がアメリカ駐在の時に一緒に開催地を探すのに通訳も兼ねて動いてくれた。

原田泰治の絵は日本の原風景を素朴に描いたわけではない。グラフィックデザイナーとしての鋭敏な感覚で風景を切り取った。切り取った風景には省かれるものはない。花、雑草、田畑、家、木々、山々、川、空とすべて等しく愛情を持って繊細に描かれている。点描主義の画家のようである。そして、澄んだ空気がある。信州の空気であろう。

音楽家・さだまさし、は彼の絵本『さだおばさん』を手にして会いたがった。「こんなに切なくて美しい日本を描く画家が存在したことにショックを受けた」[※17]。ところが、作者近影を見て面会に臆した。強面の顔、長髪にヘアバンド。「ネイティブ・アメリカンの酋長みたいだった」[※18]ためという。その後、ふたりは親友となる。さだまさしは原田泰治美術館の名誉館長になる。泰治は人生の節目節目で恩人に出逢うと述べた。学校の先生であり、椋鳩十であり、絵本を出版した後に知り合った谷内六郎であり、筑紫哲也であった。その中で一番の恩人は奥さんであった。美人で頭がいい、運動神経もいい。彼が売れる前、デザインスタジオの経営を精神的に支えた。しかし、出会えなかった人物もいる。素朴派の先輩画家・横井弘三（「2　美術の世界⑦」で登場）である。彼の絵を観て衝撃を受けたが、彼の死により叶わなかった。また、泰治はデザインスタジオを運営したように企画力があり、足が悪いにもかかわらず行動力があり、企業人、政治家としても大成しただろうと評されている。

□関連ミュージアム　小山敬三：小山敬三美術館（小諸市）、原田泰治：諏訪市原田泰治美術館（諏訪市）。

⑫昭和後半（第二次世界大戦後）、日本画、彫刻

荘司福は明治43年（1910年）に松本市で生まれた。女子美術専門学校（現在の女子美術大学）で日本画を専攻した。数学者・荘司篤と結婚し、仙台に移り住む。篤は結核に罹り、逝去。二人の乳飲み子を抱えていた。生きる糧としたのが日本画の制作であった。昭和16年（1941年）、東北美術展に出品した。昭和21年には院展に入選する。西洋画の要素を吸収し、昭和38年発表の「若い群」はキュビスムの要素が取り入れられている。

東北地方の信仰に共感を、取材旅行に赴いたインド、ネパール、エジプト、ケニアの風物に思いを寄せ、抽象画で表した。それらを経て苔むした石、輝く桜の花を描いた。日本画らしい静謐と深遠さに満ちている。院展の巨匠である。

日本美術院で日本画を発表し続けた**長谷川青澄**は文楽、能、舞踊と古典芸能を題材にして対象を力強く、明確に表現した。大正5年（1916年）に飯山市に生まれ、菊池契月の兄である細野順耳に学んだ。上京し、吉村忠夫に大和絵を学び、吉村忠夫の死後、関西日本美術院の同人である美人画家の中村貞以に入門、関西日本美術院を牽引し続けた。中村貞以の画塾を引き継ぎ、名称を「含翠」と改めて日本画家の育成に努めた。

写実表現に生命感を盛り込んだロダン。ロダンの弟子で立体美を追求したブールデル。**清水多嘉示**はブールデルに学んだ。第一次世界大戦後から第二次世界大戦後までの日本彫刻の変遷を体現し、戦後の具象彫刻をリードして日本近代彫刻の発展に貢献した。昭和26年制作の、ふたりの少女が手をつないで舞う「みどりのリズム」が有名である。

明治30年（1897年）に諏訪郡に属する原村に生まれた。諏訪中学（現諏訪清陵高校）を中退し、本郷洋画研究所で学んだ。人物や風景を重厚な色彩で描いていた。地元諏訪で教員を務めてから大正12年（1923年）に絵画を学ぶためパリに渡った。ブールデルの作品と出会い、感銘を受けて彫刻に転向する。フランスでは藤田嗣治、同郷の武井直也や小山敬三と交遊を持った。昭和3年（1928年）、帰国。翌年、帝国美術学校の創設に参画した。戦後は日展に出品、その審査員を務めた。戦後、日本の隅々まで野外彫刻が設置される。その主役は彼であった。多嘉示の作品群は内的な構成、野外彫刻展示と日本近代美術史の一次資料の宝庫であり、字引であると美術史研究者からは感服されている。近代日本彫刻界の潮流はロダン＝荻原守衛、ブールデル＝清水多嘉示、と信州人が一翼を担っていた。

中村直人は上田市の神川に明治38年（1905年）に生まれた。その地で大正7年（1918年）、自由画教育運動が、翌8年に農民美術運動が起こった。リアルタイムでそれらを見、大正9年に小学校を卒業、彫刻を学ぶため上京した。上京先は、山本鼎の紹介により日本美術院同人の彫刻家・吉田白嶺の下であった。そこで住み込みながら指導を受けた。昭和12年（1937年）、日中戦争がはじまると従軍画家として中国へ向かう。陸軍美術協会会員として積極的に戦争関係の美術展で作品の発表を続けた。日本美術会が敗戦の翌年、昭和21年、戦争責任を追及したときに藤田嗣治、横山大観らとともに、彫刻家ではただ一人名前が挙げられた。

戦後、藤田嗣治が待つパリへ行き、画家に転身する。グワッシュ（不透明な水彩絵の具）を用いた絵画は人気であった。

□関連ミュージアム　清水多嘉示：八ヶ岳美術館（原村）。

8〜12の注記

※1　インターネット　ひとミュージアム上野誠版画館ホームページ「館案内」２０１９年5月27日閲覧

※2　インターネット　ひとミュージアム上野誠版画館ホームページ「版画館通信　上野誠の生涯」２００８年5月17日閲覧

※3　インターネット「長野県革新懇ニュース　２０１８年7月号」２０１８年7月10日発行　日本と信州の明日をひらく県民懇話会

※4　インターネット　不忍画廊ホームページ

※5　『すぐわかる画家別　近代日本版画の見かた』１１７頁

※6　『快読・現代の美術』神原正明　勁草書房　２００２年1月15日第1版1刷発行　53頁

※7　インターネット「オノサト・トシノブ」オノサト・トシノブ美術館ホームページ

※8　「不在の類型学　日本における概念的な芸術の系譜(1)」鈴木勝雄『東京国立近代美術館研究紀要』18号　２０１４年

※9　『未生の日本美術史』千葉成夫　晶文社　2006年9月10日初版
※10　インターネット　一般財団法人　松澤宥プサイの部屋「美術ジャーナル51――1964年」
※11　インターネット　一般財団法人　松澤宥プサイの部屋「松澤宥年譜」
※12　『水玉の履歴書』草間彌生　集英社　2013年5月22日初版第1刷発行
※13　インターネット「ふるさと美の風景」物故作家のメッセージ　23　宮坂勝
※14　『別冊太陽　原田泰治』平凡社　2010年8月5日初版第1刷発行　8頁
※15　『別冊太陽　原田泰治』24頁
※16　『別冊太陽　原田泰治』71頁
※17　『別冊太陽　原田泰治』53頁
※18　『別冊太陽　原田泰治』53頁

8～12の参考文献

インターネット　東京文化財研究所　東文研アーカイブデータベース　各該当人物
インターネット　フリー百科事典ウィキペディア　各該当人物
インターネット　ひとミュージアム上野誠版画館ホームページ（現在は削除されている）
インターネット「長野県革新懇ニュース　2018年7月号」2018年7月10日発行　日本と信州の明日をひらく県民懇話会
インターネット　佐喜眞美術館「上野誠／ケーテ・コルヴィッツ展」2018年2月8日～3月26日

『日本の近代美術12　近代の版画』
『すぐわかる画家別　近代日本版画の見かた』
インターネット「池田満寿夫の版画」京都国立近代美術館　平成19年11年20日〜12月24日
インターネット　不忍画廊ホームページ
『快読・現代の美術』神原正明　勁草書房　２００２年1月15日第1版1刷発行
インターネット「オノサト・トシノブ」オノサト・トシノブ美術館ホームページ
「不在の類型学　日本における概念的な芸術の系譜(1)」鈴木勝雄『東京国立近代美術館研究紀要』18号　２０１４年
『未生の日本美術史』千葉成夫　晶文社　２００６年9月10日初版
『現代美術史日本篇１９４５－２０１４』中ザワヒデキ　アートダイバー　２０１４年11月21日改訂版第1刷発行
インターネット　一般財団法人　松澤宥プサイの部屋ホームページ
『水玉の履歴書』草間彌生　集英社　２０１３年5月22日初版第1刷発行
インターネット　松本市美術館ホームページ「宮坂勝と石井柏亭」
インターネット「ふるさと美の風景」物故作家のメッセージ　23　宮坂勝
『別冊太陽　原田泰治』平凡社　２０１０年8月5日初版第1刷発行
インターネット「中村直人」作・管理　尾崎譽
インターネット「中村直人――彫刻の時代」佐久市立近代美術館　更新日２０１５年2月2日

13 平成から現在、立体芸術

昭和40年代、関根伸夫の「位相――大地」（昭和43年制作）を起点にして世界的にも注目された〝もの派〟が登場した。「位相――大地」は円筒形の穴を掘り、その掘り出した土を円筒形に盛って穴の横に並べた作品である。もの派は木、土、石、ガラス、スポンジなどの素材をほとんど手を加えないで設置し、そこから芸術的メッセージを発信しようとした。昭和40年代後半に愛知県立芸術大学の大学院で彫刻を専攻していた**戸谷成雄**は「もの派の人たちの真似のようなことをやりつつも、これではだめだという感覚がありました。[※1]」と省みる。葛藤のなかでアルタミラやラスコーの洞窟壁画などの人間の創作の痕跡に辿り着いたという。壁画にはいくつもの視線が入っていることを認識した。昭和50年（1975年）、「竹藪Ⅱ」を発表した。幾本かの竹の間にビニールテープの紐を張った。人は竹藪をどのように見ているか。その視線を露わにした。

成雄はチェーンソーを振るう作家と形容される。木の塊を切り刻み、その痕跡を露わにする。昭和59年（1984年）から「森」シリーズを発表しながら、視線の問題から造形されたもの、自然界にあるものの境界線の問題へと思索の階段を登っていった。彼は言う。彫刻は素材から削り出すものである。そのイメージは様々な視線が絡み合って形成される。

削り出される前のものと削り出されたものとは元は一体であったと改めて語る。元の木も、取り出され、飛び散った木片も等価であると強調する。

成雄は、昭和22年（1947年）に北信濃の小川村で生まれた。平地の少ない山村である。長野県の郷土料理である「おやき」の産地として有名である。「おやき」は、あんこや野菜を小麦粉、そば粉でつくった皮で包んで焼いた饅頭である。彼が生活する集落から谷を挟んで別の集落があった。その別の集落の子供たちが彼の集落へ侵入してくると、喧嘩となった。ただ、薪や草などの資材を共有する「入会地」という概念があり、ある程度の侵入は許していた。集落の領域の境界線はファジーなところがあったと回想する。

境界がファジーであることは造形からも感じていた。彼は子供の頃、石で岩に線を刻んで遊んだ。刻み粉が零れ、それを刻んだ細い溝に埋めた。誰もが子供の頃に行った遊びであろう。まさに彫刻の制作過程そのものであると認識する。この刻まれた線と零れた粉との関係に思索がいく。イタリアのローマ時代のポンペイ遺跡は火山灰で埋まった人間の肉体が消滅して空洞の形だけが残っている。歴史学者たちは、そこに石膏を流して当時の人間の形を取り出すことを行った。これらの鋳型と同じ働きをする型と造形される形とのポジとネガとの関係。これは両者が寸断された関係ではないと感じた。成雄は幼少期の遊び体験も理論説明に用い、造形された彫刻が他から決別された存在であることや、国境が線引きで分割された境界線であることとの**西欧的な分離概念で支配された二元論の転覆を企む**。成雄の作品には評論家らの多くの言説が纏わり付く。彼は思想家であるからである。その彼は現代アートに違和感を抱く。「絵画や彫刻には、それぞれの種としての個別なアイデンティティがありますが、それがアートや芸術という言葉に吸収されて、総合化されていくのは嫌だなと思っています。[※2]」と。視線を創作概念の根本に据え、社会、政治性に言及しながら**彫刻の再構築を試みる**。日本の現代彫刻の牽引者である。

戸谷成雄より6年後に生まれた**保科豊巳**は東京芸術大学で油画を専攻しながら、〝もの派〟の同大教授・榎倉康二の影響を受けた。その継承者として同期の川俣正らと〝ポストもの派〟に位置付けられている。母校で教鞭を執り続けた。昭和55年にパリで展示した「間」は彼のインスタレーションのデビュー作である。インスタレーションとは場所や空間を作品として体験させる芸術表現で、昭和40年代後半（1970年代）以降に一般化された。細い木材を骨組みにして障子を張った凧のような作品である。続いて昭和57年、「木、紙、墨」をパリとシカゴで発表する。これらの素材は彼が生まれ育った旧北御牧村（平成の大合併で現在東御市となる）で日常的なものであった。北御牧村は南側から北に向かってせり上がった台地に集落が点在する。その縁は崖となって落ち、千曲川が洗っている。村名が示すとおり、かつては朝廷の牧場であった。平安朝の頃から馬を生産していた。望月の駒で有名な望月町（現佐久市）は台地続きの隣町である。彼の展示した空間に立つと、外側と内側の狭間に置かれた感覚を覚える。彼は作品のキーワードを次のように提示する。「生活している日常から発生し、実在する物質と空間に身体が介在することで起こる場の意識を『ここにいる』という実感と『あそこにいる』という実感を共存させる中性的な場を現出させることである。[※3]」。戸谷成雄が視線の論点から境界の未分離を展開しているのと類似する。豊巳は**境界の空間、その空間を実感させることを狙う**。

アートプロジェクトも積極的に手掛けている。平成22年（２０１０年）からの、世界的にも有名になった香川県の小島での「STORY OF THE ILAND ART PROJECT」をプロデュースしたほか、出身地である東御市での「天空の芸術祭」がそうである。アートプロジェクトは脱美術館の動きの一環である。

保科豊巳は令和元年（２０１９年）に東京芸術大学の副学長の職を退き、退官した。豊巳は東京芸術大学の使命を語る。[※4] 明治初期、日本の工芸品は輸出品の重要な柱であった。初代学長の岡倉天心は西欧技術が怒濤のごとく流入するなかで伝統文化が衰退するのを憂いた。日本の過去の伝統芸術を伝承し、その後継者を育成する。それが原点である。自分たちのアイデンティティと自尊心に誇りを保っていける生き方ができる、それを創り出すのが文化であり、芸術が存在する意味である。新しいものを創ることは自分を生み出した母体と対立することである、と。彼自身も〝もの派〟に影響され、それと対立して新しい美的空間の創造を行っている。

また、次のように述べた。彼はパリでの発表に始まり、アメリカ、スイス、台湾、韓国、中国、オランダと世界各地で作品を展示して国際的に通用すると自負してきた。紙と墨を扱うことから水墨画の現代化と中国美術にも影響を及ぼしている。ところが、ギリシアでの作品制作のとき、落胆する程に自分の作品と思えなかった。湿度のある日本と違い、ギリシアは乾燥している。風土が違うと自分の作品に存在感がなかった。**グローバル化は均一ではなく、各国の違いを認識することであると痛感した。**

近代科学は風土に無関係に普遍的である。近代科学文明は物質を分割し、世界を均一化する。戸谷成雄、保科豊巳ともアカデミズムに属しながら、**人間の個の体感を復活させる仕事をしている。**生の体感の復活と言ってもよいだろう。それは現代美術のひとつの潮流を形成している。

現代美術は難解であると言われる。思想的であるからである。分かりやすい具象作品を提供している作家を挙げる。

「日本で二人彫刻の天才がいる。一人は荻原守衛、もう一人は長崎茂くんだ[※5]」。石井鶴三はこう言った。長崎茂とは**真道茂**である。石井鶴三は彫刻に魂を注ぎ込むことに注力した彫刻家である。日本美術に近代化をもたらした西欧と日本の自然観は異なる。西欧は人間が自然を征服し、制御し、人間が万物の頂点に立って社会を形成する。結果、人間が自然を支配し、家畜を支配するヒエラルキーを構築するものであると考えている。美術においても自然を切り取り、人間の世界観を画面や彫刻材料に構築し、そこに人間の物語を注ぎ込んだ。日本は国家が形成された天皇制についても縄文時代の精神が基礎にあるという[※6]。自然から恵みを受け、自然と共生してきた縄文人の精神である。日本人は美意識においても自然と決別できなかった。そのなかで、西欧的な、自然から独立して彫塑に人間の精神、人間の物語を盛り込むことができた優れた彫刻家が荻原守衛と真道茂であった、ということである。

真道茂は昭和12年（1937年）に上田市の農家に生まれた。東京芸術大学の洋画科を2回受験したが不合格。その夏、母校美術部の顧問であった上田高校の林三郎の勧めで石井鶴三の夏季講習を受講した。「2　美術の世界[6]」で記載した上小彫塑研究会の彫刻講習である。これが洋画から彫刻への転機となった。3回目は彫刻科を受験して合格、大学で尊敬する石井鶴三に学べることになった。首席で卒業し、卒業作品の木彫「飢え」は文部省買い上げとなった。虚空を見上げる表情に食糧難から希望すら失っている人物が表現されている。心も飢えているのが伝わる。幼年期を太平洋戦争下で過ごし、青春期を高度成長期で送った。生活品が豊かになる一方で時代に置いていかれる心の拠り所のなさに空虚感を抱いていたのかもしれない。大学院を修了して真道幸子と結婚して、姓を長崎から真道に変える。

昭和33年、初めてオーストリアを訪問し、半年をかけてヨーロッパを回った。家族と共にオーストリアに移住する。国際彫刻シンポジウムのリンダブルン・シンポジウムに参加して活動。彼の作品のモチーフにユダヤ人を連想させる流浪の民、馬が選択されるが、この異国での生活が強く影響している。7年後に帰国して東京に住む。企業からのモニュメントのオファーに応えて活動。バブル崩壊後、仕事が途絶えたことと狭心症を患い、平成10年（1998年）に諏訪市に移った。

茂は幼少の時、キセル（たばこの煙管）に魅せられた。その竹の色が美しいと思ったという。そのためか、彼の作品は細長い。痩せている心を表す象徴である。平成12年頃の制作、「疾走」は走る馬の尾を掴む人間が横倒しに引き摺られている。農業生産の道具である馬が先走り、目は血走っている。それを操るべき人間が逆に引き摺られている。馬自体は意味もなく先を急ごうとしている。

妻幸子が癌に罹り、彼女の介護をしながら制作活動をし、平成23年に妻に先立たれた。その5年後、自身も大腸癌が判明した。ステージ4で余命1年を宣告される。そのなかで油絵「流浪の民」シリーズを手掛ける。暗い色彩を基調とした作品で、安住の地のない人々がひとつの塊になっている。幽霊の群れのようである。無言の呻き声が聞こえる。平成29年制作の油絵「陽だまり」は貧しいながらも家族が寄り添い、ヤギ、ニワトリの家畜がそばにいる作品である。同年制作の彫刻「自画像」では彼が虚空を睨み、何かを問うている。癌が見つかってからは友人の誘いも断って人生最後の時間を制作に注ぎ込んだ。この作品が彼の遺作となった。

上田彫塑研究会（名称を昭和36年に上小彫塑研究会から変えた）はユニークな彫刻講習会であるが、世間一般には知られていない。そこから著名な作家が出ていないためと言われる。プロの芸術家を育成する講習会ではないと、石井鶴三は述べた。しかし、中村直人、池田満寿夫、そして真道茂が、そこで学んだことが生涯にわたって生き続けた。この後に記載する武蔵野美術大学学長となる甲田洋二も受講する。特筆すべき片田舎の講習会であると改めて言ってよいであろう。

雪の町・飯山市の寺通りの一角に**高橋まゆみ**人形館がある。平成22年（2010年）にオープンした。高橋まゆみの人形展は当館が開館されるまでの約7年間、全国90カ所で巡回されるほどの人気であった。農村に住む仲睦まじい老夫婦、笑顔弾ける子供たちの人形が並ぶ。自然豊かな、小鳥の声が聞こえてきそうなポエムの世界である。若い男性はつくられていない。経済成長、情報化社会とは程遠い、昔も今も変わらない農村で生活する者への賛歌である。昭和31年（1956年）に長野市で生まれた。飯山市の農家に嫁ぎ、通信教育で人形作りを学んだ創作人形作家である。

□関連ミュージアム　高橋まゆみ人形館（飯山市）。

14 平成から現在、洋画

現代絵画を牽引するひとりが**辰野登恵子**である。昭和25年（1950年）に岡谷市に生まれた。高校時代の美術教師は東京芸術大学を卒業したばかりの若い男性で、彼から現代美術の情報を得た。昭和43年（1968年）、東京芸術大学油画専攻に入学する。学生運動が盛んであり、美術大学の学生たちも多摩美術大学を中心に美術家共闘会議（美共闘）が運動を展開していた。日展、美術館制度の中央集権制粉砕を主張した。彼女は意味がよく分からなかった。「そこには大切なものもあったから(※7)」、と述懐する。同級生に後に女子美術大学教授となる鎌谷伸一、国際写真家となる柴田敏雄がいた。気の合った三人は行動的で活発な登恵子に社交的でない男二人が引っ張られる格好で美術展、映画に出かけたという。[※8] 鎌谷がシルクスクリーンを持ってきた。三人はそれに驚き、魅せられた。シルクスクリーンはまだ日本でほとんど知られていなかった。三人はその技法を学ぼうと、学生運動で講義が停止になり、学生も来なくなったがらんどうの校舎で版画家・駒井哲郎の教室に入り浸った。在学中に個展を開く。襖の格子、ノートの罫線、方眼紙と日常にあるものをモチーフに写真製版のシルクスクリーンの版画家として注目を引いた。指導教員の勧めにより、油絵で線を引いた。高い評価を浴びた。「UNTITLED-45」（昭和49年制作）は黄土色の格子模様に一本の線が引かれている。アメリカのミニマル・アートの画家であるバーネット・ニューマンの、色面に垂直の線が入る構図に似ている。ただ、彼女の絵の中にある線は影が付いて浮かんでいる。当時、アメリカでミニマル・アートが制作されていて彼女もその一列に加えられた。ミニマル・アートは装飾、説明をできるだけ削ぎ落として単純な形と色で表現する絵画、立体芸術様式である。だが、彼女がミニマル・アートの存在を知ったのは後のことである。

「辰野登恵子の１９８０年の変節は美術界に衝撃を与え」たと、美術家の中ザワヒデキは述べる。[※9] シンプルな表現から量感のある作風に変化した。抽象絵画の行き着く先がコンセ

辰野登恵子「Oct-20-95」

プチュアル・アートやミニマル・アートとすると、絵画で表現する術がなくなる。絵画はインスタレーションの表現形式に押された。欧米そして日本で絵画回帰の動きが出る。破壊し、消失させてしまった絵画表現を、再び絵画で表現しようと様々な具象、抽象の絵が描かれた。日本でニューペインティングと呼ばれるこれらの画家の一翼に彼女は加えられた。

美術評論家の沢山遼は、登恵子の作品に立体性を見出す。[※10] 平面芸術である絵画が物質的に宿命として持つ二次元に三次元の要素を取り込む格闘をしていると。彼女の版画制作での版のズレ、90年代から2000年代にかけて多く描かれた棚でのアクソノメトリーの採用をその例に挙げた。アクソノメトリーは立体を平面で表現する作図方法のひとつである。立体を斜めに書いて奥行きを記述する。遠近法は遠いものを小さくする視覚的表現である。遠近法ではひとつの画面のなかで景色はひとつの点に収束する。収束する点を消失点という。アクソノメトリーは消失点を持たない。

登恵子は、ポップアートのアンディ・ウォーホルを好んだ。ウォーホルが制作したエルビス・プレスリーの像が複数にズレる構図は、商品がコマーシャルによって宣伝され、消費される大衆消費社会で実像と虚像とが混同され、さらに逆転してしまったことを、悲観することもなく表現している。登恵子の物体のズレはそれらの物体の差異を表現する。

ノートの一枚の紙でも、1時間前に無造作に机の上に置かれた紙と、その後、風に煽られて少しズレた紙と、同じ紙であってもふたつの紙は異なっている。1時間後の紙は陽に当たって少し黄ばんだかもしれない。物体が背負っている時間を見る。近代社会で語る時間はフランスの哲学者・デカルト以降、均一に経過する物理的なものである。それは計測できる。登恵子の作品に感じる時間は、それぞれの物体が固有に持つ時間である。西欧の近代絵画は時間が静止しているように見える、と感想を述べる人は多い。近代西欧絵画は作者が描く対象をその風景から切り取って固定化したためであろうか。

登恵子は描く対象を〝もの派〟の見かたに近いと語った。[※11] 対象をそのまま見る。虚像としては見ない。また、遠近法を捨てた立体表現を採る。アクソノメトリー的な表現である。遠近法は作者を世界の中心に立たせて風景を見る。彼女は世界の中心に立ってものを見ない。彼女の描く色鮮やかな楕円形はそれそのものが実体としてあることを懸命に主張している。「日常にあるものにインスピレーションを覚え、自身の空間的な美的なものを加えないと絵にならないと。絵以外のものでは作品化できなかった。[※12]」と平面絵画制作に執着した。

「絵画、あるいは描くことの意味を、いま一度問い直そうとする現代美術の動向のなかで最も先鋭的で豊かな表現を我々に示してくれる[※13]」と平成3年に評された。その評価のとおり、世界的な美術動向である絵画の復権のトップランナーとして、抽象絵画の先端を切り進みながらそのあり方を示してくれる画業に美術界が注目していたが、平成26年（2014年）、癌のため64歳で亡くなった。

色彩の豊かさ、絵画空間に拘るのは辰野登恵子と同じ岡谷市に生まれ、彼女より1歳年下の**根岸芳郎**である。武蔵野美術大学を卒業してボストンに留学、カラーフィールドペインティングに出会った。カラーフィールドペインティングは色彩だけで構成された人物や風景が描かれていない絵画である。日本で初めて実践した。水で溶いたアクリル絵の具をキャンバスに染み込ませる。ボリューム感ある色彩の森をつくる。「制作過程での痕跡がすべて残ってしまう技法で描いている。（略）奥行きのある空間は時間と関係しているのではないか」（※14）といみじくも述べる。時間は記憶が堆積されたものであり、絵画に感じる時間は画面の奥からやってくる。人生とは時間を紡ぐものだという。時間を記憶の堆積と感じる感覚は物体を生きているものと感じる感覚の回復である。この**時間認識の取り戻しは現代絵画の潮流のひとつである。**

甲田洋二は不気味な物体を描く。「O氏の場合」のシリーズは彼の父の臨終期を題材にしている。包帯でぐるぐる巻きにされた顔、胸に管が差し込まれた人体が紺色を基調に描かれている。もはや人間ではない物体がそこにある。医学により生命は維持されているが、もはや人間であるのだろうかという疑念がある。「Y氏の場合」のシリーズは自身が題材である。そのなかに「High Way Dream」と副題が打たれた作品群がある。東京都青梅市にある自宅の近くで都心の外環道である高速道路の工事が始まった。工事により変わっていく自然を日々、日記のようにスケッチした。それをモチーフにしている。ピーナッツのような月か雲が紫色の空に浮かぶ絵。キノコの傘が被さったような橋脚の絵。傘が取り除かれた後の橋脚は燃え滓の鉄筋を頭に残したような絵。建設される高速道路の存在に疑問を呈している。それは単に税金投入の費用対効果の経済性ではなく、建設しようとする人間の意図に疑問を投げかけている。「Y氏の場合」も「O氏の場合」も人間に進歩と幸福をもたらすと託された科学技術がはたしてそのとおりであろうかと不安に思っている。むしろ人間の欲望とともに幸福とは別の方向へ進むのではないかと危惧しているようである。

昭和14年（1939年）に上田市に生まれ、上田松尾高校（現上田高校）在学中のときに石井鶴三の上小彫塑研究会に参加した。そこで立体の核心を探し出すことを学んだ。3歳年長の彫刻家の真道茂と同じ経験を積んでいる。二人は、幼少期は太平洋戦争下で過ごし、青春期は高度経済成長期を体験している。人間の尊厳を置き忘れた物質文明への懐疑心が二人に共通してあるように思う。

武蔵野美術大学に進み、同校で後進の育成に従事する。平成18年（2006年）から学長を務めた。複数の信州人が創設に関わり、発足時に「信州人の学校」と譬えられた武蔵野美術大学の歴史に名を連ねた。

時間認識の取り戻しが現代絵画のひとつのテーマであるならば、**小松美羽**は民族の記憶を絵画に叩きつけている。

小松美羽は昭和59年（1984年）、坂城町に生まれた。坂城町は上田市の隣町で工業が盛んな町である。家には兎、ハムスター、鳥のインコ、魚、蚕と多くの動物を飼っていた。一緒に生活していたという感じだったという。物心がついたときからその動物たちを描いていた。本は動物や鉱物の図鑑ばかりだった。本の絵を模写していて将来は画家になると決めていた。「私が育ったのは人口が少ない長野県の小さな街です。自然が豊かな場所で子供の頃に遊ぶ場所といえば山か川しか選択肢がありませんでした。夜まで遊んで暗くなると、自然と向き合って〝怖い〟感覚になることがあります。[※15]」と振り返る。彼女は不思議な体験をする。道を歩いていると、ふさふさで尻尾を揺らす茶褐色の山犬が現れて目的地に導かれた。何回も。最後にその山犬を見たのは中学3年生の冬であった。図書館に向かった吹雪の日、現れた山犬は彼女の先を歩いた。彼女が視線を下げた時、雪に覆われた地面に肉球の跡がないことに気付いた。彼女が顔を上げると山犬はぐるぐると円を描いて消えた。

美羽は人と交わるのが苦手だった。美術系に進めばひとり孤立していても大丈夫かと思っていた。高校時代に通った美大受験の予備校でも友達はいなかった。人とは違う、人とは交われない自分に生き辛さを感じていた。山犬の体験から神社に座る狛犬に関心を持つ。神社の森には「人ならざる者たちの息吹で溢れていて、ああ人間の世界が全てではないという確かな感覚があり、それは救いだった。」と、平成29年（2017年）に開催された「神獣～エリア21～」展での挨拶文に書いた。[※16] そして、「神獣を描くことで人々との魂がつながること」[※17] を確信する。彼女は、山犬の体験と自然に感じた畏怖から、自分がいる世界の向こう側にあるものに霊感を感じ、魔界から飛び出して来たようなおどろおどろしい怪獣のような犬を描く。それは日本人が自然に感じ取っていた山の神かもしれない。山犬を描くことで彼女は人々の魂とつながることを意識し、山犬を描くことに自身の存在意義を見出した。巫女である。

平成26年（2014年）、出雲大社に「新・風土記」を奉納した。翌年にはエリザベス女王が総裁である英国王立園芸協会主催のガーデニングイベントに石原和幸とコラボした有田焼狛犬のデザインを手掛け、庭の守り神として展示。大英博物館の永久展示品となった。30歳の若さでの快挙であった。
ライブペインティングを行う。瞑想から始まり、スピード感溢れて描き上げる。着ていた白い袴、手、腕、顔も飛び散った絵の具に染まる。〝美しすぎる画家〟と形容される可憐な外見からは想像もつかない迫力である。ライブペインティングは日本だけでなく、ニューヨーク、香港、台湾でも実施されて観客の入場規制がかかるほど人気がある。日本テレビ主催の令和2年（2020年）、24時間テレビ43「愛は地球を救う」のチャリティーTシャツで、彼女のデザインが採用された。神社の守護神である狛犬と平和と希望の象徴の鳩の図柄である。世界を席巻する病魔である新型コロナを退治するかのようである。

越ちひろ、もライブペインティングを行う。小柄な体全身で赤、ピンク、オレンジ、緑、青と原色をキャンバスに叩きつける。音楽家と共演して曲に合わせた色彩のリズムをキャンバス、壁にほとばしらせる。壁画家である。
昭和55年（1980年）、千曲市に生まれる。小松美羽が生まれた坂城町と長野市との間にある。いろいろなものを作るのが好きだった。縫製でバッグ制作、服の手直し、料理と。大学浪人中は予備校に通い、休日に美術館に行く。その日々は苦しかったという。真面目なのである。東京造形大学に入学。在学中に、新進美術家を発掘するトーキョーワンダーウォール賞を受賞する。平成20年（2008年）、長野に戻る。それまで、壁画や店舗に描いたりすることは金もうけで芸術ではないと後ろめたさがあった。帰郷後はそれが消えた。「ライブペインティングも自分を表現するうえですごくいいパフォーマンスだと分かった。[(※18)]」と自分を見出す。絵の具にまみれているのが自分の夢であったと、絵を描くことが至福であることを素直に語る。

近代絵画制度を支えたのは美術館制度である。美術館はヨーロッパにおいて王侯貴族の専有物であった絵画を市民に公開した。公共性を提供した美術館は、そこで展示されることを第一義とすることに転化した。ちひろが、絵を描きたいからと描く衝動は美術館を飛び出して商店などの街の壁にぶつける。美術館を出て街で活動するスタイルは近代美術の超克である。彼女はそれを無意識に行っている。

15 平成から現在、日本画

戦後、洋画は美術とは何か、絵とは何かを問い、彫刻または立体芸術は人間と世界との関わり合いを質問した。日本画も世界に立脚する新しい絵画を求める活動がいくつか生まれた。その中のひとつが昭和49年（1974年）に結成された創画会である。創画会のルーツは昭和23年（1948年）に結成された創造美術である。当時、日本文化全般に思想性も創造性も欠如するという日本文化の第二芸術論が盛んになり、日本画もその波に洗われていた。発端は、フランス文学研究者で評論家の桑原武夫が雑誌『世界』の昭和21年11月号で「第二芸術――現代俳句について」の論文を発表し、日本の短詩型文学を思想的無自覚と創造性の欠如と批判したことであった。吉岡堅二、山本丘人、秋野不矩（ふく）、「2美術の世界[3]」で登場した菊池契月の息子である菊池隆志ら東京と京都の画家が集まって結成した。洋画団体の新制作協会と合流した後、再び独立した。日本画の新しい道を探求している。

創画会の会員である**滝沢具幸**は東京芸術大学で吉岡堅二に師事した。風が流れるような抽象的画風の風景画は情緒的に花鳥風月を描いてきた日本画とは異質である。平成24年（2012年）の創画展で発表した「原景」を彼はつぎのように述べる。「果てしなく広がる荒涼とした原野や砂漠、日常目にする身近な地面などは私の制作の原点となっている。『原景』は私の原風景の追求を試みたものである。(※19)」と。「果てしなく」と語られたが、確かに水平に広がっていくイメージであるものの無限にという広大さ、壮大さは感じ取れない。広がりを止める端はないが、先は靄がかかっているので見えない、というような広がりである。靄をイメージするのは、日本列島が湿潤であるためであろうか。昭和60年（1985年）に第8回山種美術館日本画大賞展優秀賞を受賞した「地」、その後、「原野」、「荒野」、「山河」と自然を主なテーマに制作を重ねる。故郷の自然が原点になっているという。故郷は、飯田市である。昭和16年（1941年）に生まれた。飯田市の日本画家の大先輩である菱田春草もふるさとの自然が原体験になっている。「菊慈童」の背景の山々はそれを彷彿とさせる。滝沢具幸の自然を見る目は、南アルプス、日本アルプスの水脈に拠っているのではと想像する。湿潤な日本列島の水脈に。または、縄文人がかつて日本列島で獣を狩るときの自然を見る目になっているのではと。原野を見る目である。原野は無限に広がる。獣、どんぐりなどの木の実の食べ物を恵んでくれる。原野で暮らしたなかで、それを見る目である。大学院在学中から現代日本画の旗手として高い評価を受けてきた、現代日本画家の第一人者である。

湿原の上を流れる風のような抽象的な風景画の画風は、現代洋画家の堀浩哉、中村一美らも追求している。**風景の奥にあるもの、日本人が心の底で感じている自然観を探す。**その自然観とは縄文人以来の日本人の遺伝子であるかもしれない。

日本画は滝沢具幸らのように新たな創造を試みる者たちもいたが、昭和40年代、50年代は停滞していたと美術批評家たちからみられている。現代美術家の草間彌生や村上隆は美術大学の日本画科出身であるが、日本画から飛び出て行った。片方で、経済成長からバブル期を迎えて日本国民が経済的に豊かになり、日本画の売買は活発であった。きれいな絵を観る、上手な絵を観る。これも絵画の役目のひとつである。

中島千波は上手な絵を描くことと、絵画の革新を行うことの両方ができる日本画家である。昭和20年（1945年）に家族の疎開先である小布施町で生まれた。小布施町は江戸時代後期に上田の活文禅師に禅を学んだ文化人高井鴻山がいた。活文禅師には幕末の思想家・佐久間象山も学んでいる。高井鴻山のもとを訪れた絵師・葛飾北斎は小布施に1年以上も滞在していた。ゆかりのある葛飾北斎の作品を展示する北斎館が昭和51年に開館した。それを中心にした街づくりは整っていて美しい。街がひとつの庭のようである。名物の栗をテーマにしたレストラン、カフェ、土産物屋に高井鴻山記念館、日本のあかり博物館が並ぶ。そこに、おぶせミュージアム・中島千波館が平成4年に加わった。中島千波47歳での個人記念館である。文化人を受け入れる環境が江戸時代と同じように息づいている。

父は日本画家の中島清之である。家には画材はもちろん、浮世絵などの絵があり、絵を描く環境が整っていた。大学も芸大しか知らなかったという。画家になるべくしてなった画家である。三男で、兄たちも洋画家、美術評論家となった。千波はまさに〃家業〃としての絵描きとして衒いもなく描く。桜、牡丹などの植物を描く。限りなく美しい。作家・高橋克彦はその筆力を「現代の到達点に行っていると思う(※20)」と絶賛する。職人としての面目躍如である。

商業的なデビュー作は「草の主」（昭和46年制作）である。影響を受けたシュルレアリスム作家のルネ・マグリットの構図が採用されている。現実の風景に幻想の景色が挿入されている。日本画の定型表現の花鳥風月に留まらない作品である。西洋画のコンセプチュアル・アート、ミニマリズム、彫刻または立体芸術のもの派、インスタレーション表現台頭と昭和40年代の美術の変革と向かい合うものであった。昭和50年代に「衆生」シリーズで目をつぶる男、覗き見る女を描いた。次は、裸体の女が寝転ぶ「形態」シリーズを手掛ける。昭和60年代から平成にかけて「眠」で題名どおり、目を閉じた女を描く。「形態」と「眠」の女の髪は針金のように固そうでごわごわしている。そして、「空」シリーズに取り組んでいる。人間を探求しているという。人間の様態を見詰めることで現代社会を見詰めている。

倉島重友も父は日本画家であった。昭和19年（1944年）に、千曲市に生まれた。生まれた千曲市の森地区は杏が一面に植えられている。杏の花が辺り一面をピンク色に染める時期にはたくさんの観光客が訪れる。写生に訪れる者も多く、彼の家に宿泊する人も多かった。その環境下で画家を志した。森地区には森将軍塚と呼ばれる前方後円墳があり、信濃の国の最初の中心地である。高校3年のときから日本美術院へ出品をし続け、9回目でやっと入選した。東京芸術大学にも2回落ちた。「会場で自分の作品を見る」[※21]ことが夢であったという。画風は師事した平山郁夫に似て人物画、静物画とも霞がかる。優しく美しい。日本美術院の代表的画家である。

□関連ミュージアム　中島千波：おぶせミュージアム・中島千波館（小布施町）。

13～15の注記

※1　インターネット「戸谷成雄インタビュー」美術手帖　2019年9月26日
※2　インターネット「戸谷成雄インタビュー」美術手帖
※3　インターネット「ART FOR THOUGHT」2020年5月16日閲覧
※4　インターネット「大学Times」Vol. 17　大学ism　東京藝術大学　2015年6月発行
※5　『真道茂―魂の軌跡とその先―』展覧会カタログ　真道茂追悼展実行委員会　2019年
※6　『神武天皇「以前」』宮崎正弘　育鵬社　2019年9月1日発行
※7　インターネット　武蔵野美術大学芸術文化学科「インタビュー　辰野登恵子×岡部あおみ」

2005年6月30日

※8　『日本経済新聞』2014年10月17日付記事「喪友記　辰野登恵子を悼む」

※9　『現代美術史日本編』中ザワヒデキ　アートダイバー　2014年11月12日改訂版第5刷発行　72頁

※10　インターネット「沢山遼が『辰野登恵子　オン・ペーパーズ』展を読み解く」美術手帖　2018年12月9日

※11　インターネット　武蔵野美術大学芸術文化学科「インタビュー　辰野登恵子×岡部あおみ」

※12　インターネット　武蔵野美術大学芸術文化学科「インタビュー　辰野登恵子×岡部あおみ」

※13　『昭和の美術　第6巻　51年〜64年』毎日新聞社　1991年3月1日発行

※14　インターネット「八ヶ岳美術館」2018年5月11日

※15　インターネット「【画家】小松美羽展『神獣〜エリア21〜』で感じた魂と人知を超えた存在」

※16　インターネット「【画家】小松美羽展『神獣〜エリア21〜』で感じた魂と人知を超えた存在」

※17　インターネット　AsiaXウェブサイト「芸能、芸術インタビュー【現代アーティスト】小松美羽さん」2020年2月11日

※18　インターネット　NaganoArt+「越ちひろインタビュー」2020年6月7日

※19　インターネット　Art Annual online「滝沢具幸『原景』」美術年鑑社

※20　『同時代の画家集成　中島千波』芸術新聞社　1993年1月25日発行　15頁

※21　インターネット「倉島重友　日本美術院同人コラム」日本美術院ホームページ

13～15の参考文献

『現代美術史』山本浩貴　中央公論新社　２０１９年10月25日発行
『未生の日本美術史』千葉成夫　晶文社　２００６年９月10日初版
インターネット　東京文化財研究所　東文研アーカイブデータベース　各該当人物
インターネット　フリー百科事典ウィキペディア　各該当人物
インターネット「戸谷成雄インタビュー」美術手帖　２０１９年９月26日
インターネット「ART FOR THOUGHT」２０２０年５月16日閲覧
インターネット「大学Times」Vol. 17　大学ism　東京藝術大学　２０１５年６月発行
『神武天皇「以前」』宮崎正弘　育鵬社　２０１９年９月１日発行
『現代美術史日本編』中ザワヒデキ　アートダイバー　２０１４年11月12日改訂版第５刷発行
『真道茂―魂の軌跡とその先―』展覧会カタログ　真道茂追悼展実行委員会　２０１９年
インターネット　武蔵野美術大学芸術文化学科「インタビュー　辰野登恵子×岡部あおみ」２００５年６月30日
インターネット「沢山遼が『辰野登恵子　オン・ペーパーズ』展を読み解く」美術手帖　２０１８年12月９日
『日本経済新聞』２０１４年10月17日付記事「喪友記　辰野登恵子を悼む」
『信濃毎日新聞』２０１２年９月28日付記事「岡谷出身の画家・辰野登恵子さんに聞く」
『昭和の美術　第３巻　21年～30年』毎日新聞社　１９９０年６月１日発行

『昭和の美術　第4巻　31年～40年』毎日新聞社　１９９０年8月30日発行
『昭和の美術　第5巻　41年～50年』毎日新聞社　１９９０年11月30日発行
『昭和の美術　第6巻　51年～64年』毎日新聞社　１９９１年３月１日発行
インターネット「八ヶ岳美術館」２０１８年5月11日
インターネット　極小美術館「甲田洋二展　２０１３年3月24日～5月31日」
インターネット「【画家】小松美羽展『神獣～エリア21～』で感じた魂と人知を超えた存在」
インターネット　AsiaXウェブサイト「芸能、芸術インタビュー【現代アーティスト】小松美羽さん」２０２０年2月11日
インターネット　NaganoArt+「越ちひろインタビュー」２０２０年6月7日
インターネット　Art Annual online「滝沢具幸『原景』」美術年鑑社
『同時代の画家集成　中島千波』芸術新聞社　１９９３年1月25日発行
インターネット「倉島重友　日本美術院同人コラム」日本美術院ホームページ

あとがき

私は、まえがきに書いたように日本の近代化を、ひとつの地方から見てみたいと思いました。時代を変え、時代をつくった幕末の志士たちは情熱家であり、行動派でした。本書に登場した人物たちも同様でした。志のあまり、無鉄砲な家出をした人物も少なからずいて驚きました。童謡作詞家の海沼実、日本画家の菊池契月、彫刻家の荻原守衛と。この情熱が近代音楽や近代美術をつくっていきました。

信州は海に接していない山国です。広い平地がなく、山間の盆地や谷間に人々が暮らしています。山の肌合いの集落もあります。大きな都市はありません。江戸時代に置かれた藩では真田家が治めた松代藩が十万石と最大でした。大藩といえる藩はなかった。それでも、ここに登場して頂いた人物を語ることで日本の近代化の姿を少しは浮かび上がらせることができたと思います。そして、現代の様相も。

音楽の世界で登場して頂いた人物をみると、伊沢修二、神津専三郎が日本音楽の近代化の扉を開きました。西洋音楽の導入とその普及です。学校教育の唱歌から始まりました。

高野辰之は唱歌の「故郷」を作詞しました。唱歌に続いて興った童謡では作曲家の草川信らが活躍しました。中山晋平は現在の歌謡曲を開拓しました。「歌は世につれ、世は歌につれ」といわれるように歌と世相は密接に関係しています。中山晋平が作曲した「船頭小唄」は文化人から「こんな歌が流行るから関東大震災が起こるのだ」と批判されながら、息の長い流行歌となりました。戦後は、山川啓介が青春賛歌を作詞し、作曲家の久石譲が世界に通用するジブリ映画の音楽を担当しました。信州出身の音楽家を追うことで日本の近代と現代の世相を窺えたかと思います。西洋音階は日本の伝統的音階を駆逐しましたが、中山晋平は日本人が心に抱く音を探りました。久石譲もそうだと思います。

美術の世界で登場して頂いた人物をみると、川上冬崖が幕府の命を受けて洋画研究に従事したときから日本美術の近代化が始まりました。日本画の菱田春草、彫刻の荻原守衛は命をかけてその近代化を行いました。ふたりとも三十代で夭逝します。山本鼎は現代の版画を開始しました。戦後は、池田満寿夫、松澤宥、草間彌生を含めて日本の美術家たちは世界レベルで評価されるようになっています。「美術は世の中の鏡」といわれます。現代美術は難解である、分からない、といわれます。複雑な現代を写す鏡だから当然といえば当然です。彫刻家の戸谷成雄、洋画家の辰野登恵子は近代的思考から抜け出そうとしているようにみえます。日本画家の滝沢具幸、現代アーティストの小松美羽は日本人の精神の鉱脈を見出そうとしているようにみえます。

日本は欧米が作り上げた近代的システムを一生懸命に模倣し、導入してきました。これもまえがきに書いたように、現在、その近代的システムが機能不全になっていることを多くの人々は感じているのではと思います。改めて、今まで私たちの生活を支えてきた近代的システムを認識し、今がどのような状況なのか、次につくるべきシステムはどうあるべきかを模索する時代なのだと感じます。信州の音楽家、美術家を追うことで日本の近代化を検証すると同時に、その次に来るものを探るヒントも出てくれればと期待して調べ始めました。

慣れない出版で、細かな点までご指摘頂いた東京図書出版の方々に厚くお礼申し上げます。

この本が過去を思い、今日と明日を考えるひとつのネタになればと思います。そう思って頂けると嬉しいです。

渚　銀笛

渚　銀笛（なぎさ　ぎんてき）

長野県佐久市生まれ。文芸同人誌に小説を発表している。テニス青年の挫折を描いた「空」、1980年の社会風俗竹の子族を題にとった「竹の子族」はアマチュアの文学新人賞にそれぞれ佳作、入選している。

信州の群像

— 日本の近代化と現代をひとつの地方から見る —

2023年２月23日　初版第１刷発行

著　　者　渚　銀笛
発 行 者　中 田 典 昭
発 行 所　東京図書出版
発行発売　株式会社 リフレ出版
〒113-0021　東京都文京区本駒込 3-10-4
電話 (03)3823-9171　FAX 0120-41-8080
印　　刷　株式会社 ブレイン

ISBN978-4-86641-578-9 C0095
Printed in Japan 2023